À: Rose Desjardins

LA VIE COMPLIQUÉE DE Léa Olivier

2. RUMEURS

CATHERINE GIRARD-AUDET

Québec

Crédit d'impôt livres — Gestion SODEC

Gouvernement du Québec – Programme de crédit d'impôt
pour l'édition de livres – Gestion Sodec

Nous reconnaissons l'aide financière du gouvernement du Canada par l'entremise du
Fonds du livre du Canada pour nos activités d'édition.

La vie compliquée de Léa Olivier, 2. Rumeurs
© Les éditions les Malins inc., Catherine Girard-Audet
info@lesmalins.ca

Directrice littéraire : Ingrid Remazeilles
Éditeur : Marc-André Audet
Illustration et conception de la couverture : Veronic Ly
Photographie de Catherine : Karine Patry
Mise en page : Marjolaine Pageau

Dépôt légal — Bibliothèque et Archives nationales du Québec, 2012
Dépôt légal — Bibliothèque et Archives Canada, 2012

ISBN : 978-2-89657-150-5

Imprimé au Canada

Les éditions les Malins inc.
1447 rue Wolfe
Montréal (Québec)
H2L 3J5

LA VIE COMPLIQUÉE
DE *Léa Olivier*

2. RUMEURS

CATHERINE GIRARD-AUDET

À Marc-André, mon grand frère, qui est presque aussi cool que Félix et sans qui je n'en serais pas là aujourd'hui. Merci pour ta confiance, ta complicité et ta générosité. *We did it!*

Chapitre 1
Déni et autres sautes d'humeur

À : Marilou33@mail.com
De : Léa_jaime@mail.com
Date : Dimanche 1er décembre, 15 h 20
Objet : Vive le déni !

Coucou !
Je sais que ça fait trois jours que je ne t'ai pas donné de nouvelles, mais si ça peut t'encourager, j'ai traversé une phase de déni total pendant laquelle je n'avais aucune envie d'affronter mes problèmes et mes responsabilités.

Résultats : ma meilleure amie (c'est toi, au cas où tu aurais des doutes) me hait peut-être parce qu'elle se sent abandonnée ; Éloi me regarde avec de grands yeux de labrador en espérant que j'aborde le sujet de sa semi-déclaration de la fin de semaine dernière ; Alex me fait des clins d'œil qui me rendent très mal à l'aise et j'ai coulé mon test d'anglais.

Conclusion : le déni n'est pas productif.

Je voulais aussi réfléchir à Thomas avant de t'écrire. Comme tu joues un peu le rôle de ma conscience, je voulais avoir des arguments en béton avant de t'en parler et que tu me dises que je suis vraiment cruche et niaiseuse de vouloir même lui accorder le soupçon d'une deuxième chance. Lol !

Il ne m'a pas réécrit depuis, alors je me dis qu'il a peut-être juste eu un moment de faiblesse pendant lequel il s'ennuyait de moi et il a ressenti le besoin de le partager. Le problème, c'est qu'en faisant ça il m'a replongée dans mon spleen et ma déprime automnale. Au moins, novembre est fini.

Jeanne m'a dit qu'il n'y avait rien de « louche » entre elle et Alexis (l'ami d'Alex avec qui elle a dansé au party), mais qu'elle s'entendait super bien avec lui et qu'elle voulait simplement être son amie... Moi, je persiste à croire qu'il ne la laisse pas indifférente, mais elle ne veut tellement pas de chum qu'elle se convainc elle-même !

Le pire dans tout ça, c'est que je ne sais même pas ce qui se passe avec toi ! Est-ce que ça va toujours bien avec JP ? Est-ce que Laurie s'en doute ? Est-ce que tu me détestes ?

Je serai chez moi toute la journée, alors réponds-moi vite !
Léa xox

À : Léa_jaime@mail.com
De : Marilou33@mail.com
Date : Dimanche 1er décembre, 15 h 55
Objet : Et moi, je suis amoureuse !

Salut, ma belle !
Si je n'étais pas si heureuse et amoureuse, je t'en voudrais peut-être de m'avoir abandonnée comme ça pendant des jours, mais la bonne nouvelle, c'est que ce n'est pas le cas ! J'étais plutôt inquiète pour toi : un triangle amoureux, c'est compliqué, mais un carré amoureux, c'est un vrai casse-tête ! Lol !

Je file toujours le parfait bonheur avec JP, mais pour ce qui est de Laurie, j'avoue que mon problème est loin d'être réglé. Je persiste à croire que c'est mieux de lui en parler après Noël, question de laisser passer un peu plus de temps (c'est clair qu'elle l'aime encore, sinon, elle arrêterait de parler de lui tout le temps). Le problème, c'est que ma relation avec JP commence à ébranler mon amitié avec Laurie. Je ne suis plus capable de l'entendre *bitcher* contre lui sans rouler les yeux ou sans chercher un prétexte pour partir (et je ne peux pas toujours inventer une envie de pipi, sinon, elle va croire que j'ai un problème de vessie !), et je ne peux pas lui raconter la partie la plus excitante de ma vie... Tu vois ce que je veux dire ?

Si tu n'as pas eu de nouvelles de Thomas, je t'encourage évidemment à ne pas lui en donner. Je ne l'ai pas vraiment revu depuis son fameux courriel, mais JP m'a dit que le message qu'il t'a envoyé ne l'étonnait pas. Selon lui, Thomas ne t'a pas laissée parce qu'il ne t'aimait plus, mais plutôt parce qu'il sentait que ça devenait trop difficile et qu'il ne voulait pas te rendre malheureuse. Ton ex n'est peut-être pas aussi machiavélique que je le soupçonne, mais de là à dire qu'il a fait un sacrifice pour ton bonheur, tu me permettras d'en douter ! On pourrait l'appeler saint Thomas, tant qu'à y être ! Lol !

Je persiste à croire que tu serais beaucoup plus heureuse avec quelqu'un qui te respecte et avec qui tu as plein de choses en commun (Hum, hum ! Éloi ?) ou avec un beau gars pas compliqué (Hum, hum ! Alex ?) Mais bon, ça, c'est mon opinion ! ;)

Je te laisse, la natation m'appelle ! J'ai un peu délaissé le sport depuis que j'ai un chum. *OMG* ! C'est bizarre de l'écrire : J'AI UN CHUM ! Lol ! Moi ! Ton amie Marilou ! La « vieille fille » ! J'AI UN CHUM !!!

Je suis contente que tu sois sortie de ta phase déni et que tu sois réapparue dans ma vie !

Je t'aime, même si t'es compliquée !
Lou x

Lundi 2 décembre

Éloi (en ligne): Léa? T'es là? Je voulais te parler après l'école, mais t'es partie tellement vite que je n'ai pas eu le temps.

16 h 37

Léa (en ligne): Hey! Oui, je suis là. Ouais, désolée... Je suis très occupée cette semaine.

16 h 38

Éloi (en ligne): Léa! Pas besoin de faire semblant! Je sais que tu es mal à l'aise à cause de ce que je t'ai dit le soir du party. Je m'excuse. Je n'aurais pas dû te dire ça à ce moment-là... C'est juste que j'ai beaucoup pensé à toi ces derniers temps et que je suis très mélangé.

16 h 40

Léa (en ligne): C'est moi qui m'excuse. T'es tellement plus mature que moi! Tu affrontes le problème, alors que moi, je vis dans le déni et je fuis dès que la cloche sonne! Lol!

Éloi (en ligne): Je comprends... ☺ Je voulais aussi te dire que j'avais cassé avec Marianne. La seule chose dont je suis certain, c'est que je ne suis pas amoureux d'elle. Je l'aime beaucoup comme amie et je me trouve con de devoir lui faire de la peine, mais je ne peux plus continuer de faire semblant...

16 h 43

Léa (en ligne): Je pense que si c'est ce que tu ressens, tu as bien fait. Comment a-t-elle réagi?

16 h 45

Éloi (en ligne): Mal! Elle est allée pleurer dans les bras de Maude et elle m'a demandé si c'était à cause de toi. Évidemment, j'ai dit non, mais ne te surprends pas si elle devient encore plus détestable que d'habitude. ☹

16 h 47

Léa (en ligne): Wow, ça promet! Lol! Ne t'inquiète pas pour moi, je vais m'arranger. ☺

16 h 48

Éloi (en ligne): Merci, Léa. Et je m'excuse encore pour l'autre soir. Est-ce qu'on est corrects? Je ne veux surtout pas te perdre comme amie...

16 h 49

Léa (en ligne): Moi non plus, je ne veux pas te perdre. C'est pour ça que je préfère qu'on reste simplement des amis... Je suis mélangée, moi aussi, mais une chose est sûre: je tiens à toi!

16 h 51

Éloi (en ligne): C'est réciproque! ☺ À demain, Léa! Xx

À : Marilou33@mail.com
De : Léa_jaime@mail.com
Date : Mercredi 4 décembre, 19 h 31
Objet : Une journée de fou !

Lou, tu ne croiras jamais la journée que j'ai eue ! Ce midi, j'étais dans le local du journal avec Annie-Claude (on a commencé à préparer les questions qu'on veut poser aux élèves de secondaire 5 pour notre article) quand Marianne est entrée en me pointant du doigt.

Elle : Toi, espèce de tache ! Je sais que tu n'es pas mon amie, mais je n'avais pas réalisé à quel point tu étais hypocrite ! Je ne sais pas comment ça marche dans ton village, mais ici, les filles se respectent !
Moi : Heu... Rapport ?
Elle : Fais pas l'innocente ! Je sais qu'Éloi m'a laissée pour être avec toi !
Moi : Ce n'est pas vrai, Marianne. Je suis désolée pour Éloi et toi, mais ça n'a rien à voir avec moi. C'est un ami, c'est tout.
Elle : Ne me prends pas pour une cruche ! (Non, non. Je te prends seulement pour une nunuche.) Je sais que vous êtes tout le temps ensemble et qu'il te regarde avec de grands yeux.
Moi : C'est dans ta tête, tout ça, Marianne. Tu sauras que je suis en peine d'amour, moi aussi, et que je ne suis vraiment pas d'humeur à me faire tomber dessus par une fille qui s'imagine des drames amoureux. On n'est pas dans *Gossip Girl*, ici. Éloi n'est pas Nate !

Elle : Je ne te crois pas, Léa Olivier ! Et laisse-moi te dire que tu n'as pas fini d'entendre parler de moi !

Et vlan ! Elle est partie. C'est quoi son problème ? Je comprends qu'elle ait de la peine et je comprends aussi qu'elle puisse s'imaginer qu'Éloi ressente quelque chose pour moi (ce qui semble légèrement vrai), mais de là à m'attaquer en public, il y a des limites ! Je n'imagine même pas les scénarios d'horreur et les conspirations qu'elle manigance avec Maude, dans mon dos. Soupir. Pourquoi Félix ne sort pas avec elle au lieu de Katherine ? Il me semble que ça me simplifierait la vie ! Quoique avec lui, on ne sait jamais !

J'ai tout raconté à Éloi, évidemment, qui s'est excusé une fois de plus de m'avoir entraînée là-dedans. Je sais que ce n'est pas de sa faute, sauf qu'il aurait pu y penser à deux fois avant de sortir avec la plus cinglée des nunuches !

Pour embrouiller encore plus les choses, le beau Alex est venu me rejoindre à mon casier après mon cours de maths.

Lui : Salut, Léa ! Ça va ?
Moi : Oui, toi ? (Je n'osais pas le regarder dans les yeux parce que j'étais trop gênée. C'est une chose de me laisser aller dans le noir chez mon amie, mais c'en est une autre de le séduire devant toute l'école !)

Lui : Oui. As-tu envie d'aller au cinéma en fin de semaine ? Le dernier *Twilight* vient de sortir, alors je me suis dit que ça pourrait être cool d'y aller ensemble.

Moi : Heu... Je... C'est que... (Depuis quand est-ce que je bafouille autant ? !)

Lui : Le chat a mangé ta langue ?

Moi : (J'ai rassemblé toutes mes énergies pour être capable de formuler une phrase sans bafouiller.) Ha ! Ce que je voulais dire, c'était « Oui, OK. Ça me tente. »

Lui : Cool ! On s'en reparle pour se donner rendez-vous.

Et il est parti en me lançant un autre de ses clins d'œil légendaires. Mais pourquoi j'ai dit oui ? Je sais ! Il m'a prise au dépourvu et je n'ai pas eu le temps de réfléchir à une façon polie de dire non. Je sais que tu vas m'encourager à y aller pour me changer les idées et m'enlever Thomas de la tête, mais le problème, c'est que je ne sais pas à quoi il s'attend de moi. Est-ce qu'il pense que je vais encore l'embrasser ? Est-ce qu'il veut que je sois sa blonde ? Il me semble que j'ai été assez honnête avec lui, non ?

Lou ! Je suis tannée de me poser des milliards de questions. Je veux juste que les choses soient simples, que mes notes s'améliorent, que les nunuches me laissent tranquille, être heureuse et célibataire jusqu'à ce que je rencontre le prince charmant... et que mon frère arrête d'être aussi populaire auprès des autres. Est-ce vraiment trop demander ?

Je vais prendre un bain ! En espérant que Félix ne soit pas déjà dedans !
Léa xox

À : Léa_jaime@mail.com
De : Marilou33@mail.com
Date : Jeudi 5 décembre, 19 h 02
Objet : J'ai couru après...

Salut, Léa !
Je suis désolée pour Marianne. Elle a vraiment l'air intense, cette fille-là ! Je sais que tu as un fort caractère et que tu es (parfois) capable de te défendre, mais elle commence à me faire peur. Quand je vais venir à Montréal pour le spectacle de Justin Bieber, je vais m'arranger pour t'accompagner à l'école, question de mettre un visage sur les nunuches ! Je serai ton garde du corps et j'essaierai de leur faire peur en les regardant croche ! Penses-tu que ça peut marcher ?

Sur une note moins drôle, j'ai vraiment failli me faire prendre à l'école aujourd'hui. (Tu comprendras que je parle de JP, et non du devoir de maths que j'ai copié !) Je me suis assise avec Steph et Laurie à une table de la cafétéria et JP s'est installé tout près de nous avec

Thomas et Seb. JP n'arrêtait pas de me fixer pour essayer de me faire rire, et ça a fini par fonctionner. Laurie s'est retournée et lorsqu'elle s'est rendu compte que JP me faisait des grimaces, elle m'a lancé un regard vraiment offusqué.

Laurie : Coudonc, Judas, depuis quand tu es amie avec mon ex ?

Steph (en me lançant un coup d'œil complice) : Relaxe, Laurie. Marilou a le droit de rire d'une blague de JP sans que tu lui tombes dessus.

Moi : C'est vrai ça, Laurie. Je sais que JP t'a fait de la peine, mais je trouve ça lourd que tu m'interdises de parler à cette gang-là !

Laurie : Ben là, tu ne les as jamais aimés ! T'étais la première à dire que Léa méritait mieux que Thomas et que moi, je perdais mon temps avec JP !

Moi : Oui, mais je t'ai aussi dit que je les avais jugés trop vite.

Laurie (en se levant) : Ben c'est ça, deviens donc *best* avec JP, tant qu'à y être ! Je pense que je vais aller me chercher des amies ailleurs. Il paraît qu'elles sont en spécial au dépanneur. *BYƐ* !

Et elle est partie. Même si je sais qu'elle exagère, une partie de moi se sent *full* mal, parce que je sais que je lui mens en plein visage. J'ai réfléchi à ça pendant le reste de la journée, et j'ai décidé que tu avais raison et qu'il valait mieux qu'elle sache la vérité tout de

suite (ou du moins qu'elle l'apprenne de moi avant de l'apprendre de quelqu'un d'autre). Je l'ai appelée tantôt pour lui dire que je passerai chez elle demain après l'école pour discuter de notre chicane. Je sais que Manu suggère souvent de prioriser les amitiés, mais je ne suis pas capable de ne pas aimer JP... C'est plus fort que moi, tu comprends ? J'aimerais que Laurie me comprenne et qu'elle me pardonne, mais la connaissant, je sais que ça ne risque pas d'arriver. :(Qu'est-ce que tu en penses ? Réponds-moi dès que tu peux !
Lou xox

À : Marilou33@mail.com
De : Léa_jaime@mail.com
Date : Jeudi 5 décembre, 21 h 31
Objet : Ça va aller ☺

Salut, ma Lou !
Je pense (tu le sais) que tu prends la meilleure décision. C'est vraiment mieux qu'elle apprenne la vérité par toi que par une rumeur à l'école. Il se peut qu'elle soit vraiment fâchée sur le coup, mais tu sais bien que les choses vont finir par s'arranger. Je lui souhaite de se faire rapidement un chum pour passer à autre chose. Tu m'écriras dès que tu lui auras parlé, car je veux vraiment savoir comment ça s'est déroulé.

Je t'aurais bien dit de m'appeler, mais Alex est revenu me voir aujourd'hui pour me proposer d'aller au cinéma demain soir. Ça fait un peu mon affaire, parce que si la soirée se déroule mal (genre parce que je n'arrive qu'à articuler des onomatopées : Euh ! Oh ! Hé ! Bah !), j'aurai deux jours pour me terrer dans ma chambre et pour essayer d'oublier ce qui est arrivé !

Pendant qu'il me parlait, Marianne, Lydia et Maude sont passées à côté de moi en me faisant de l'attitude. Quand je suis allée à mon cours de français, Maude est venue me voir à mon bureau. Annie-Claude l'a saluée, mais Maude n'a pas daigné lui répondre.

Maude : Léa, j'aurais une question à te poser.
Moi : Oui ?
Maude : C'est quoi ton problème ?
Moi : Pardon ?
Maude : Ce n'est pas assez pour toi de courir après un seul gars ? Tu dois aussi t'acharner sur les chums des autres ?
Moi : Je ne vois vraiment pas de quoi tu parles.
Maude : Ben là ! Comme si ce n'était pas déjà assez de draguer José et de voler Éloi à Marianne, tu as aussi décidé d'aller au cinéma avec Alex, alors que tu sais très bien que Sophie tripe sur lui !
Moi : Premièrement, ton chum José ne m'intéresse pas. Si tu ne lui fais pas confiance, et je pense que tu as raison, ce n'est vraiment pas mon problème (son

visage est devenu blême) ; deuxièmement, Éloi est mon meilleur ami ici, et c'est tout. Ce n'est pas de ma faute s'il n'est pas amoureux de Marianne, mais si tu veux mon avis, je commence à le comprendre (son visage est devenu rouge) ; troisièmement, Alex m'a invitée au cinéma et j'ai accepté parce que ça me tente. Si Sophie tripe tellement sur lui, elle a juste à lui dire. Ce n'est pas de ma faute si elle est trop pognée pour faire les premiers pas. Maintenant, si tu n'as rien d'autre à ajouter, j'aimerais reprendre ma conversation avec mon amie. (Son visage est devenu mauve et la veine sur son front était sur le point d'éclater.)

Maude : Tu vas le regretter, Léa Olivier !

Quand elle est partie, j'ai remarqué que mes mains tremblaient. Je ne sais pas ce qui m'a pris de lui répondre comme ça. Ce n'est tellement pas mon genre ! Ça doit être ma *best* qui commence à déteindre sur moi. Lol !

Ou alors, je commence à me rendre compte que si je ne me défends pas, personne ne le fera à ma place. Jeanne est *full* gentille, mais je sais qu'elle ne se mêlera pas de ce qui ne la regarde pas et qu'elle est amie avec ces filles-là depuis trop longtemps pour se retourner contre elles. Je viens peut-être aussi de signer mon arrêt de mort, mais bon… Je vivrai avec les conséquences ! Et puis, tu seras là le 17 janvier pour leur lancer des regards menaçants ! Annie-Claude avait l'air particulièrement impressionnée par mon courage et mon affront !

Elle : Wow ! Tu m'impressionnes, Léa ! Tu lui as dit ce qu'il fallait, mais ce n'est pas tout le monde qui oserait lui tenir tête comme ça.
Moi : C'est un des avantages d'être nouvelle ! J'ai moins peur des répercussions parce que je n'étais pas là avant, et comme je n'ai pas d'amis, je ne peux pas vraiment en perdre.
Elle : Niaiseuse... Tu m'as, moi ! Et ce n'est certainement pas Maude qui me convaincra d'arrêter de te parler.

Après l'école, j'ai rencontré Jeanne et nous sommes allées dans notre café habituel pour ma leçon d'anglais. Elle m'a expliqué les erreurs que j'avais faites dans mon test. Elle avait évidemment déjà entendu parler de mon altercation avec Maude, mais elle s'est contentée de me sourire en me disant que je n'avais peur de rien. Ce que j'aime le plus chez elle, c'est qu'elle ne juge personne. C'est tellement rare, à notre âge ! (Même moi, j'essaie de ne pas trop porter de jugements, mais on s'entend que j'ai de la misère !)

Elle m'a aussi invitée à une petite fête chez elle avant les vacances de Noël pour célébrer la fin de l'école et l'anniversaire d'Éloi. L'ancienne Léa (celle qui a disparu quand elle a décidé d'affronter Maude) aurait refusé en préférant rester chez elle pour manger des beignes et éviter de croiser les regards haineux des nunuches, mais la nouvelle Léa (celle qui est née aujourd'hui et qui n'a peur de rien) a accepté en lui demandant si elle pouvait aussi inviter Annie-Claude. Comme ça, j'aurai au moins UNE amie vers qui me tourner !

Bon, je te laisse. J'ai un projet à terminer pour demain et Félix a promis de m'aider. (Il a fait le même en secondaire 3, et il faut bien qu'il serve à quelque chose !) Bonne chance pour demain, et écris-moi dès que tu rentres chez toi !
Léa xox

À : Léa_jaime@mail.com
De : Marilou33@mail.com
Date : Vendredi 6 décembre, 22 h 02
Objet : Ouf !

Salut !
Ma soirée s'est révélée un désastre total. Après l'école, je suis passée chez Laurie. Elle m'a ouvert la porte, puis elle s'est assise sur le sofa et a croisé les bras d'un air boudeur. Je pense qu'elle s'attendait à ce que je m'excuse, pas à ce que je lui dise que je sortais avec son ex.

Moi : Je suis venue pour qu'on s'explique et aussi parce que j'ai besoin de t'avouer quelque chose.

Laurie (avec un air sarcastique) : Quoi ? Que tu tripes sur JP ?

Moi : ...

Laurie : QUOI ? Tu me NIAISES ? Voyons, Marilou, tu as vu comment il m'a traitée ! Tu mérites mieux qu'un gars comme lui ! Ne viens pas me dire qu'il t'intéresse vraiment ? !

Moi : Ne le prends pas mal, Laurie, mais je trouve que tu exagères un peu. Tu es sortie avec lui pendant à peine quelques semaines et tu en fais tout un drame ! Je pense qu'il faudrait que tu en reviennes, un jour.

Laurie (en criant) : Qui es-tu pour me dire ça ? Tu n'as jamais été amoureuse de personne !

Moi (en criant plus fort) : Ce n'est pas vrai !

Laurie : Ah oui ? Amoureuse de qui ?

Moi : De JP, bon ! Je l'aime, OK ?

Laurie : Voyons, Marilou ! Tu as un *kick* dessus, mais tu ne l'aimes pas. C'est complètement différent !

Moi : Non, j'ai appris à le connaître, et je l'aime vraiment.

Laurie (en haussant le ton) : Qu'est-ce que tu veux dire par « j'ai appris à le connaître » ? Vous vous voyez en cachette ?

Moi (d'une petite voix) : Oui.

Laurie : Toi ? Avec JP ? Oh, mon Dieu ! Je n'en reviens pas ! Espèce de traître ! Je pensais que tu étais mon amie ! Comment as-tu pu me faire ça ? Et ça dure depuis quand ?

Moi : Environ trois semaines. Je voulais te le dire, Laurie, mais j'avais peur de ta réaction...

Laurie : Avec raison ! Tu as commis une erreur grave, Marilou. Non seulement tu m'as menti pendant des semaines, mais tu m'as trahie ! Il existe un code, ou plutôt une loi entre les filles qui indique spécifiquement que tu n'as pas d'affaires à t'intéresser aux ex de tes amies ! Et toi, tu as préféré briser cette loi et *frencher* JP plutôt que de penser à moi et à notre amitié. Je pense qu'on n'a plus rien à se dire. Tu peux partir.

Moi : Voyons, Laurie ! Réagis pas comme ça ! On est amies depuis assez longtemps pour passer par-dessus ça ! On va trouver une solution...

Laurie : Correction ! On *était* amies depuis longtemps. Tu as fait ton choix, et moi, j'ai fait le mien. J'aimerais que tu partes, maintenant.

Je suis sortie de chez elle et je me suis aussitôt mise à pleurer. Je m'attendais à ce qu'elle réagisse mal, mais je n'avais jamais imaginé une réaction aussi explosive. Je pense que je vis tellement sur un nuage depuis que je sors avec JP que je n'avais pas envie d'affronter la réalité, moi non plus. Je me joins à toi dans ton club du déni ! Je suis la trésorière du groupe.

J'ai marché pendant un long moment, et j'ai fini par atterrir chez JP. J'avais les joues toutes rougies par le froid, le nez qui coulait et les yeux bouffis par les larmes. Je ne devais vraiment pas être belle à voir !

Lui : Ça ne va pas ?

Moi : Pas vraiment, non. J'ai dit la vérité à Laurie et elle a vraiment mal réagi. Je pense que je viens de perdre une amie...

J'ai recommencé à pleurer et JP m'a serrée dans ses bras.

Lui : Ça va aller, Marilou. Elle va finir par s'en remettre.

Moi (en sanglotant) : Je ne pense pas, non ! Elle a raison. J'ai trahi le code des filles et je ne mérite pas d'être son amie. J'ai perdu Léa, et là, je suis en train de perdre Laurie. Je suis devenue rejet ! Je vais devoir passer mes midis à jouer aux échecs. Je n'aurais jamais dû lui faire ça...

Lui (en me prenant par les épaules) : Ça suffit, Marilou ! Tu n'as pas perdu Léa. Elle a déménagé, mais vous vous parlez encore cinquante fois par jour ! Et tu n'as pas perdu Laurie, non plus. Elle est en colère, mais ça va lui passer. Et si elle n'en revient pas, c'est qu'elle a un problème !

Moi (en le repoussant) : C'est toi qui as un problème ! C'est de ta faute, tout ça ! Je n'aurais jamais dû t'écouter et je n'aurais jamais dû t'embrasser !

J'ai ramassé mon sac et je suis partie en claquant la porte. Je pense que sa mère était dans sa chambre, et elle doit me prendre pour une folle. Après tout, son fils vient de se faire attaquer par un monstre bouffi ! Je sais que ce n'est pas vraiment de la faute de JP, mais une partie de moi lui en veut. Ce n'est pas logique, mais c'est comme ça.

Là, je suis chez moi. J'ai essayé d'appeler Laurie, mais elle m'a raccroché au nez. Steph m'a appelée pour me dire que Laurie lui avait raconté ce qui s'était passé. Elle a été super gentille et je sais qu'elle est là pour moi, mais elle ne peut pas non plus réparer notre amitié, ni se séparer en deux pour passer du temps avec Laurie et moi.

Tu dois être au cinéma en ce moment. J'espère que ça se passe bien avec Alex et que ce n'est pas trop bizarre. Mon conseil : arrête de te compliquer la vie et profite du moment présent ! Si tu n'es pas attirée par lui ou qu'il ne t'intéresse pas vraiment, tu le sauras bien assez vite ! Et s'il te plaît, essaie de formuler des phrases complètes. ;)
Je vais me coucher. La journée a été assez longue comme ça.
Lou xox

À : Léa_jaime@mail.com
De : Thomasrapa@mail.com
Date : Samedi 7 décembre, 10 h 02
Objet : Silence ?

Coucou,
Je suis sans nouvelles de toi depuis mon dernier courriel. J'ai voulu te laisser le temps de digérer tout ça, mais là, comme ça fait presque deux semaines, je me permets de te réécrire pour être certain que tu es bien en vie. Es-tu devenue une groupie des Canadiens de Montréal ? As-tu adopté l'accent montréalais ? As-tu oublié tes anciens amis et ton ex qui pensent à toi ?
Thomas

À : Thomasrapa@mail.com
De : Léa_jaime@mail.com
Date : Samedi 7 décembre, 11 h 23
Objet : Re : Silence ?

Salut !
Je suis en vie.
Je n'aime toujours pas le hockey, mais je commence à avoir un *kick* sur Youppi !
Je n'ai pas encore adopté l'accent de Montréal, mais les autres ne se gênent pas pour rire du mien.
Je n'ai oublié personne, mais je réfléchis à ce que je pourrais bien te répondre...
Léa

À : Marilou33@mail.com
De : Léa_jaime@mail.com
Date : Samedi 7 décembre, 14 h 11
Objet : Pauvre chouette !

Pauvre Lou,

J'aimerais tellement être avec toi en ce moment ! Je sais que c'est difficile, mais JP a raison : tu ne m'as pas perdue. Je suis là ! Loin, mais proche à la fois ! Et tu sais que notre amitié va durer toute la vie, alors cesse de te casser la tête avec ça !

Pour ce qui est de Laurie, je pense aussi que JP a raison. C'est vrai que c'est plate que tu sois tombée amoureuse de son ex, mais ce sont des choses qui arrivent et il va falloir qu'elle en revienne. Ce n'était pas l'amour de sa vie non plus ! Donne-lui un peu de temps... Je suis certaine que quand la poussière va retomber les choses vont se replacer. Des fois, on a juste besoin d'un peu d'espace pour pardonner à ceux qu'on aime...

Comme je suis ta meilleure amie et que je peux me permettre de te faire la morale, je dois toutefois te dire que tu y as été un petit peu fort avec JP. Je sais que c'est votre relation qui a causé la chicane entre Laurie et toi, mais ce n'est pas de la faute de JP si tu es tombée amoureuse de lui, et je ne vois pas ce que ça donne de te chicaner avec lui ou de casser, alors que tu viens de tout avouer à Laurie ! Je sais que c'est une façon de te punir, mais tu risques d'avoir encore plus de peine. Je sais aussi que tu es (TRÈS) orgueilleuse, mais, à ta place, je m'excuserais et je lui dirais simplement comment je me sens. Mais bon, je sais aussi que c'est plus facile à dire qu'à faire !

Ma soirée d'hier s'est mieux déroulée que je l'appréhendais ! Le dernier *Twilight* est VRAIMENT bon ! Le seul problème, c'est qu'on est allés le voir en anglais (je ne voulais pas avoir l'air trop poche en lui proposant d'aller voir la version française, alors qu'elle existe à peine sur l'île de Montréal), et que je ne comprenais pas toujours les dialogues (à vrai dire, je ne les comprenais à peu près jamais), mais bon, le simple fait d'admirer Robert Pattinson et Taylor Lautner sur grand écran m'a suffit pour être heureuse ! Alex m'a pris la main pendant le film, et je me suis laissé faire. Après le cinéma, on a marché ensemble vers le métro. Comme il faisait très froid, il a mis son bras autour de mes épaules. Nous étions au centre-ville, et toutes les boutiques étaient décorées avec des lumières de Noël. La neige tombait doucement. Je te jure que ça rendait le moment magique. On s'est arrêtés à une lumière rouge, puis il m'a regardée dans les yeux avant de m'embrasser. C'était plus cool que la première fois parce que je n'avais pas peur de me faire surprendre par Éloi ou par l'une des nunuches. Une fois rendus au métro, on s'est assis et on est restés là une quinzaine de minutes à s'embrasser et à se parler. Ce qui est cool, c'est que je sens que je peux être complètement honnête avec lui. Je lui ai parlé de Thomas et je lui ai dit que j'avais encore de la peine des fois. Alex m'a parlé d'une fille qui lui a brisé le cœur cet été et il m'a avoué qu'il avait eu beaucoup de difficulté à l'oublier. Je sens qu'il me plaît, mais je ne suis pas amoureuse non plus. Je ne sais pas trop ce que ça veut dire... Je lui ai demandé ce qu'il attendait de moi, et il m'a répondu qu'il voulait prendre son temps, lui aussi, et qu'il ne se posait pas trop de questions. C'est bizarre, parce que je ne sais pas trop s'il me considère comme sa blonde ou non. Personnellement, je ne ressens pas le besoin de m'afficher avec lui, mais j'aime bien être en sa compagnie. Il me change les idées.

J'ai donc décidé d'adopter son attitude nonchalante. On verra bien où ça nous mène. Je sais que tu dois te demander où est passée ton amie qui se complique toujours la vie en se posant des millions de questions, car j'avoue que je ne me reconnais pas non plus ! Je pense que l'année a été trop forte en émotions et que j'ai besoin de prendre une pause de moi-même ! « Léa Olivier est en vacances pour l'instant, mais je peux vous transférer à son assistante, Mme Nonchalante. »

Et toi ? Qu'est-ce que tu fais aujourd'hui ? Moi, j'ai tout plein de devoirs à finir. Katherine est censée venir voir un film ici ce soir avec mon frère et je vais peut-être jouer au chaperon et me joindre à eux si jamais je suis tannée d'être toute seule.

Donne-moi des nouvelles !
Léa xox

Dimanche 8 décembre

09 h 29

Léa (en ligne): Pssst.

09 h 31

Thomas (en ligne): Salut! T'es déjà debout?

09 h 31

Léa (en ligne): Oui. Je me suis couchée tôt. Ça va?

09 h 32

Thomas (en ligne): Ça dépend de ce que tu vas me dire...

09 h 32

Léa (en ligne): Qu'est-ce que tu voudrais que je te dise?

09 h 33

Thomas (en ligne): Je ne sais pas. Je ne trouve pas de solution miracle... D'un côté, tu me manques et je sais que je t'aime encore, mais de l'autre, je comprends que notre relation n'est pas possible parce que tu es loin et que nos vies sont différentes maintenant...

09 h 34

Léa (en ligne): Depuis quand es-tu devenu mature?

09 h 34

Thomas (en ligne): Pouah! Touché! ☺

09 h 34

Léa (en ligne): ☺

09 h 35

Thomas (en ligne): Et toi? As-tu réfléchi? Que penses-tu de tout ça?

09 h 35

Léa (en ligne): Tu veux la vérité?

09 h 35

Léa (en ligne): J'ai peur de toi. Quand je vois ton nom sur mon écran, mon cœur s'emballe encore. Je fais des efforts pour éviter de penser à toi et pour être forte, mais la vérité, c'est que j'ai failli t'appeler cinq cents fois depuis qu'on a cassé. Je commence à peine à aller mieux et à m'habituer à ma nouvelle vie, alors je ne sais pas trop quoi dire. Je sais que je devrais être sur mes gardes, mais je trouve ça très difficile de ne plus t'avoir dans ma vie.

09 h 38

Thomas (en ligne): Pareil pour moi.

09 h 39

Léa (en ligne): La conclusion, c'est que je n'ai pas de conclusion...

09 h 41

Thomas (en ligne): Je sais que tu as de la difficulté à me faire confiance, mais je n'arrive pas non plus à supporter que tu ne sois plus dans ma vie. Je m'ennuie de toi, de tes blagues, de tes drames et de tes conseils. Bref, je ne sais pas non plus quelle est la meilleure solution, mais je suis prêt à essayer n'importe quoi pour éviter de te perdre.

09 h 41

Léa (en ligne): C'est-à-dire?

09 h 41

Thomas (en ligne): Ça peut sembler bizarre, mais penses-tu qu'on pourrait essayer de reprendre contact?

09 h 42

Léa (en ligne): Tu veux dire que tu veux essayer de devenir mon ami?

09 h 42

Thomas (en ligne): Genre... Après tout, c'est mieux que rien, et on n'a jamais été amis avant de sortir ensemble, alors on ne perd rien à essayer. ☺

09 h 47

Thomas (en ligne): Léa?

09 h 48

Léa (en ligne): Hum... Je réfléchis.

09 h 50

Léa (en ligne): OK, mais à deux conditions.

09 h 50

Thomas (en ligne): Lesquelles?

09 h 51

Léa (en ligne): La première, c'est que tu ne me parles pas de tes conquêtes. Je veux rien savoir des autres filles pour l'instant. Ça me ferait trop de peine.

09 h 52

Thomas (en ligne): Même chose pour moi. Je ne veux rien savoir des gars qui te tournent autour (sauf Youppi!). Et quelle est la deuxième condition?

09 h 54

Léa (en ligne): Je ne veux pas que tu en parles à Marilou. Je sais que ce n'est pas ta meilleure amie, mais si tu la croises, je ne veux pas que tu mentionnes le fait qu'on se parle ou que nous sommes devenus «amis».

Thomas (en ligne): Est-ce que je peux te demander pourquoi? Je pensais que vous vous racontiez tout dans les moindres détails.

09 h 59

Léa (en ligne): Oui... sauf quand il est question de toi. Je sais que depuis qu'elle sort avec JP, elle est moins dure envers toi parce qu'elle se rend compte qu'elle juge parfois les gens trop vite, mais ça ne change pas le fait qu'elle ne veut pas que je reprenne contact avec toi. Elle veut me protéger, et je ne crois pas qu'elle serait d'accord avec notre «amitié». Ça me fait de la peine de lui cacher quelque chose d'aussi important, mais j'aime mieux tenir ça mort pendant encore un moment.

10 h 01

Thomas (en ligne): Promis. ☺

10 h 01

Léa (en ligne): Bon, je dois aller déjeuner, mais je suis contente que tu sois revenu dans ma vie, Thomas. Tu m'as manqué.

Thomas (en ligne): Toi aussi, Léa. Tu ne sais pas à quel point... À bientôt!

À : Léa_jaime@mail.com
De : Marilou33@mail.com
Date : Lundi 9 décembre, 19 h 10
Objet : Lundi poche

Je HAIS les lundis ! Et aujourd'hui, c'était pire, parce que je devais composer avec Laurie qui ne voulait même pas me regarder dans les yeux, et avec JP qui me regardait de travers en espérant que j'aille le voir.

Ce midi, je suis allée m'asseoir à une table avec mon équipe de natation pour éviter de devoir choisir entre Steph (qui était assise avec Laurie, qui serait sûrement partie en me voyant arriver, ce qui m'aurait sûrement fait pleurer et qui aurait causé un malaise dans toute la cafétéria) et JP, à qui je ne savais pas trop quoi dire.

À la fin de la journée, j'ai vu JP près de son casier. J'ai repensé à ce que tu m'avais écrit (merci pour la morale, Mme Nonchalante !) et j'ai décidé de prendre mon courage à deux mains (et de marcher sur mon orgueil) pour aller le voir.

Moi : Salut.
Lui : Allo.
Moi : Écoute, je réalise que j'ai un peu capoté vendredi. Je trouve ça difficile de perdre Laurie et j'ai mis ça sur ton compte, mais je n'aurais pas dû. Je m'excuse.

Il m'a souri et il m'a prise dans ses bras. Le problème, c'est que Laurie a choisi ce moment-là pour aller à son casier. Je me suis dégagée de l'étreinte de JP et je me suis tournée vers elle. Elle m'a lancé le pire des regards tueurs qui existent. Ça m'a cloué le bec d'un seul coup. JP a posé une main sur mon épaule et m'a dit de lui donner du temps.

Je sais que vous avez raison et qu'il n'y a rien que je puisse faire de plus, mais je trouve ça tellement dommage qu'on ne se parle plus. Peux-tu croire que moi, Marilou, l'éternelle célibataire, j'ai perdu une amie à cause d'un gars ?

Le problème, c'est que je l'aime vraiment, ce gars-là, et que je ne peux m'empêcher d'être avec lui. Pfff ! C'est tellement compliqué, l'amour ! Je pense que toi aussi, tu as déteint sur moi. ;)
Lou xx

À : Marilou33@mail.com
De : Léa_jaime@mail.com
Date : Mardi 10 décembre, 17 h 02
Objet : Noël s'en vient !

Salut !
Je suis de bonne humeur, aujourd'hui ! Ça doit être à cause de Noël. Je sais que tu ne te sens pas super joyeuse, mais je pense avoir aperçu l'esquisse d'un

sourire hier soir sur Skype. Et dis-toi qu'au moins les choses se sont arrangées entre toi et JP !

J'ai dîné avec Alex aujourd'hui. Il a proposé qu'on aille manger au café près de l'école, ce qui faisait vraiment mon affaire. Je n'avais aucune envie de me faire juger par les nunuches, ni de devoir travailler au local du journal (Éric n'arrête pas de m'achaler pour que je lui remette mon texte sur l'orientation au cégep, mais je n'aurai jamais fini avant la semaine prochaine).

Une fois qu'on a été dans la rue, Alex m'a prise par la main et m'a embrassée doucement. Il y a quelque chose de très excitant dans le fait d'entretenir une relation secrète. Lol ! Je commence à comprendre ce que tu ressentais avec JP !

Quand nous sommes revenus à l'école, nous avons croisé Éloi qui m'a regardée d'un drôle d'air. Je me suis sentie un peu mal. Je n'ai rien à cacher, mais je sais que les choses sont un peu ambiguës entre nous. Je suis donc allée le voir avant de me rendre en classe.

Moi : Ça va ?
Lui : Oui, ça va super bien ! J'étais juste surpris de te voir avec Alex. Je ne savais pas que vous sortiez ensemble.
Moi : On ne sort pas « officiellement » ensemble, mais on apprend à se connaître. Est-ce que c'est correct avec toi ? Je ne voudrais surtout pas que ça compromette notre amitié...

Lui : Ben oui ! On s'est dit qu'on serait seulement des amis, alors il faudra bien que je m'y fasse ! De toute façon, ton frère veut me présenter une fille, alors on verra bien. On pourrait se retrouver en couple tous les deux ! Heu... Je veux dire avec quelqu'un d'autre.

Moi : Mon frère comme dans Félix ? Depuis quand êtes-vous amis ? Quelle fille veut-il te présenter ?

Lui : Tu en as, des questions ! La fille, c'est une amie d'une amie à lui que je ne connais pas. Et on est devenus copains à force de passer du temps ensemble quand je sortais avec Marianne et qu'on faisait des activités à quatre.

J'étais vraiment étonnée (et un peu fâchée). Depuis quand mon frère se tient-il avec des gars de secondaire 3 ? Il dit toujours que je suis jeune, mais il se permet de sortir avec une fille de mon âge et de devenir *best* avec MON ami ? Arg ! C'est bien Félix, ça ! Me semble qu'il est assez cool comme ça sans devoir me voler le peu d'amis qu'il me reste avant de devenir officiellement la reine des rejets ! Soupire. Expire. Inspire. Mme Nonchalante expérimente des difficultés causées par une petite crise de nerfs en ce moment. Lol !

Bon, je dois aller souper. Je vais en profiter pour lui parler !

À plus tard !
Léa xox

Le Blogue de Manu

Inscris un titre : Je me sens coupable

Écris ton problème : Salut, Manu! C'est encore moi, Léa. Je t'écris pour te raconter un autre drame (je sais que j'en vis beaucoup, mais je travaille très fort pour changer ça). Dernièrement, j'ai décidé de reprendre contact avec mon ex, Thomas. On va essayer d'être amis, parce qu'on trouve ça trop difficile de ne plus se parler.

Le problème, c'est que je ne veux pas que ma meilleure amie Marilou le sache, parce que je suis sûre qu'elle ne sera pas d'accord avec ma décision. Je sais qu'elle veut me protéger et tout, mais c'est plus fort que moi. J'ai besoin de garder Thomas dans ma vie et d'essayer d'être amie avec lui. Je ne sais pas si ça peut fonctionner, mais j'ai peur de regretter si je ne fais rien.

L'affaire, c'est que je n'ai jamais menti à Marilou auparavant, et je me sens super coupable de lui cacher quelque chose d'aussi important. Est-ce que tu penses que je fais bien de ne pas lui avouer la vérité?

Merci mille fois,
Léa, ton admiratrice #1

Manu répond à deux questions par semaine. Tu seras peut-être choisie...

Chapitre 2
Jalousie

À : Léa_jaime@mail.com
De : Marilou33@mail.com
Date : Jeudi 12 décembre, 12 h 08
Objet : Je dîne avec les *nerds* !

Coucou !
Ce midi, j'ai décidé de m'isoler avec les *nerds* du local d'informatique plutôt que d'affronter la foule de la cafétéria. JP voulait passer du temps avec Seb et Thomas, alors je me suis dit que j'en profiterais pour donner des nouvelles à ma *best*.

Parlant de Thomas, je ne sais pas ce qu'il lui prend cette semaine, mais il me sourit chaque fois qu'il me voit et je l'ai même surpris en train de siffloter. La dernière fois que je l'ai vu comme ça, c'est quand il a commencé à sortir avec toi. (Il était sous l'effet « Léa Olivier » ! Lol !) Mais là, comme tu ne lui as jamais répondu, je ne sais pas trop quelle mouche l'a piqué. J'ai demandé à JP s'il fréquentait quelqu'un, mais il n'a pas voulu me répondre. (Il prétend qu'il ne peut pas me faire confiance et que je vais tout aller te raconter ! C'est évident qu'il a raison, mais j'ai quand même joué l'innocente.). Peut-être que ton refus l'a forcé à se remettre en question et à se métamorphoser en être humain normal ? Lol ! D'ailleurs, ça fait longtemps que tu ne m'as pas parlé de lui. Comment tu te sens ? As-tu réussi à le chasser de tes pensées ?

Et avec Alex ? Toujours aussi heureux dans votre pas-de-relation-secrète-à-l'abri-du-jugement-des-nunuches ?

Bon, tant qu'à être rejet, je vais avancer mon travail de français. Plus *nerd* que moi, ça ne se peut pas !
Lou xox

P.-S. : Il paraît que Sarah Beaupré a cassé avec le beau Jonathan. JP l'a même vue pleurer ! Je ne sais pas ce qu'il lui trouve...

À : Léa_jaime@mail.com
De : Thomasrapa@mail.com
Date : Vendredi 13 décembre, 07 h 22
Objet : Vendredi 13 : Bouh !

Salut, nouvelle amie !
Je tiens à t'écrire parce que, pour une raison que je n'ai jamais trop comprise, je sais que tu as horreur des vendredis 13 ! Un conseil d'ami : ne prends pas le métro vers des quartiers méconnus... tu risquerais de te perdre !

Je dois déjà me rendre à l'école. Je rencontre Sarah avant mon premier cours pour terminer mes devoirs de maths. Je sais que tu ne l'aimes pas, mais sache que son aide a servi à quelque chose : ma moyenne a augmenté à 64 %, alors si je continue comme ça, je vais réussir mon année ! :)

Écris-moi si tu as deux minutes, question de m'assurer que tu as réussi à passer au travers de la journée.
Thomas

À : Marilou33@mail.com
De : Léa_jaime@mail.com
Date : Vendredi 13 décembre, 12 h 10
Objet : Vendredi 13...

Lou !
Excuse-moi ! Je voulais te répondre hier, mais j'ai dû terminer un travail d'anglais, alors tu peux t'imaginer que ça m'a pris toute la soirée ! *Hello, my name is Léa a.k.a Miss Nonchalante, and... euh... yes, no, maybe, toaster, please ?* Notes-tu l'amélioration ? Lol !

Heureusement que Jeanne m'a aidée après l'école et que mon père a corrigé ma dernière version, sinon, ça aurait ressemblé à ça ! Pourquoi est-ce que ça sonne encore comme de l'allemand pour moi ?

Pour compenser, j'ai décidé de t'écrire en direct du local du journal. Ce n'est pas aussi *nerd* que ton local d'informatique, mais bon, je me rebelle en t'écrivant au lieu de travailler, alors j'espère que ça compte !

Aujourd'hui, c'est vendredi 13. Je hais les vendredis 13 ! Je ne sais pas pourquoi les gens ont peur de l'Halloween et des esprits, alors que la véritable menace réside dans les vendredis 13. Généralement, ce n'est pas une journée très réjouissante pour moi, et aujourd'hui ne fait pas exception à la règle.

Tout a commencé par une chicane entre Félix et moi pour l'utilisation de la salle de bains ce matin. Il prend toujours sa douche avant moi, et ça m'énerve ! Sans compter que c'est plutôt tendu entre lui et moi depuis mardi soir.

Ce soir-là, je suis allée le voir dans sa chambre après le souper pour comprendre la nouvelle orientation de sa vie sociale (genre pourquoi il me vole mes amis). J'aurais voulu l'affronter pendant le repas, mais mes parents avaient invité une de leurs amies et je ne voulais pas trop leur faire honte.

Moi : Félix, est-ce que je peux te demander pourquoi tu te tiens avec Éloi, tout à coup ?

Lui : Ce n'est pas « tout à coup ». Son ex est l'une des meilleures amies de Katherine, et on a passé pas mal de temps ensemble. Il est cool, Éloi.

Moi : OK, mais pourquoi tu es ami avec lui ? Genre que c'est MON ami. Et il est un peu jeune pour toi, non ?

Lui : Ma blonde a son âge... et toi aussi à ce que je sache !

Moi : Justement, tu n'arrêtes pas de dire que je suis *full* pas mature !

Lui : Oui, mais Éloi est plus mature que toi. Et je m'en fous de l'âge ! J'ai des amis au cégep et en secondaire 3, 4 et 5. L'important, c'est que ça clique ! C'est quoi, le problème ?

Moi : Il n'y a pas de « problème ». C'est juste qu'il m'a raconté que tu allais lui présenter une fille, et je trouve ça bizarre.

Lui : Pourquoi ?

Moi : Eh bien, tu le dis toi-même, non ? Son ex est l'amie de ta blonde. Tu ne trouves pas ça bizarre de présenter une fille à l'ex de l'amie de ta blonde ?

Lui : Tu m'as perdu, Léa.

Moi : Ben là ! Marianne ne sera pas contente quand Katherine va lui dire que tu as présenté une nouvelle fille à son ex !

Lui : Ce n'est pas de mes affaires, et je ne pense pas que Katherine ait le goût de s'en mêler, elle non plus. Tu vois, c'est pour ça que je dis que tu es immature. Tu as trop peur de ce que les autres vont penser.

Moi (en pompant et en serrant les poings) : C'est toi qui ne comprends pas ce que je veux dire ! Et puis, c'est qui, la fille que tu veux présenter à Éloi ?

Lui : Une amie d'Édith, la fille chez qui tu étais allée au party avec moi.

Moi : Ah, OK. Et elle a quel âge ?

Lui : 16 ans, comme moi.

Moi : Ben là ! Ça ne la dérange pas qu'Éloi ait juste 14 ans ?

Lui : Il va avoir 15 ans dans moins de deux semaines, mais non, ça ne la dérange pas. Il est *full* mature, Éloi. Et j'ai montré sa photo à la fille et elle le trouve *cute*.

Moi : Ben moi, je trouve ça con !

Lui : Coudonc, es-tu jalouse ?

Moi : Pfff ! Tellement pas ! C'est juste que... je ne sais pas... il vient juste de laisser Marianne. Je trouve ça rapide un peu.

Lui : Il n'est pas obligé de se priver comme toi.

Moi (en haussant le ton) : Je ne me prive pas. Je fréquente quelqu'un, tu sauras !

Lui : OK. Alors si toi, tu fréquentes quelqu'un et que tu es en train d'oublier Thomas, je pense qu'Éloi peut faire la même chose avec Marianne. Et je te répète que je ne me mêle pas de sa vie, moi. Je lui ai juste offert de lui présenter une fille que je trouve *chicks*. Et ça tombe bien, parce qu'elle le trouve *cute*, elle aussi.

Moi : Toi et tes « *chicks* » ! Tu m'énerves !

Lui : Eh bien, va-t'en, d'abord !

Moi : C'est ça, *BYE* !

Depuis notre discussion, je l'évite. Il m'énerve tellement ! Pourquoi a-t-il toujours réponse à tout ? Pourquoi est-il ami avec tout le monde ? Et surtout, pourquoi se sent-il obligé de jouer les cupidons et de trouver une blonde à Éloi ?

Je n'ai pas vraiment revu Alex depuis mardi. Je l'ai croisé plein de fois à l'école, mais sans plus. Ce matin, il m'a offert de faire quelque chose en fin de semaine, mais je lui ai dit que j'étais très occupée, ce qui est (presque) vrai. Vendredi soir, j'ai promis à ma mère de l'accompagner à une soirée au Musée d'art contemporain (je me sens très cultivée, tout à coup) et dimanche, je dois rencontrer Annie-Claude pour travailler sur le projet des secondaires 5. Je sais que je n'ai rien samedi, mais je voulais me laisser un peu de temps pour mes devoirs et tout...

Bon, il faut que je te laisse. Éloi vient d'arriver et il m'a promis de m'aider à réviser les questions que je veux poser aux élèves de secondaire 5.

À plus tard !
Léa xox

P.-S. : En ce qui concerne Thomas, je n'ai rien à signaler. Je refoule peut-être ce que je ressens, mais je survis. :)

À : Thomasrapa@mail.com
De : Léa_jaime@mail.com
Date : Vendredi 13 décembre, 22 h 41
Objet : J'ai survécu !

Salut, nouvel ami !
Merci d'avoir pensé à moi en cette journée traumatisante. Je ne peux pas dire que ce fut la plus belle journée de ma vie, mais j'ai survécu. Et c'est ça qui compte ! Je viens de revenir d'une soirée au musée avec ma mère. Je peux dire que je vais me coucher moins niaiseuse ce soir. Lol !

C'est drôle, parce qu'elle m'a justement parlé de toi.

Elle : Comment tu te sens, par rapport à Thomas ?
Moi : Correcte (je sais, je suis avare de détails avec mes parents).
Elle : Léa... Je te l'ai déjà dit. Tu peux me parler ! Je ne suis pas si vieille que ça.
Moi : Je sais, mais ça ne me tente pas que tu racontes tout à papa. Il ne comprendrait pas.
Elle : Je pense que tu le sous-estimes, mais c'est bon. Je te promets que je ne lui dirai rien.
Moi : Je n'ai pas grand-chose à dire. Je trouve ça encore difficile. Je m'imaginais vraiment que ça allait durer toute la vie entre nous deux et je suis *full* déçue. Et je ne peux m'empêcher d'espérer qu'un jour on reviendra ensemble.

Elle : Peut-être. La distance que vous vivez en ce moment ne sera pas toujours insurmontable, mais pour l'instant, c'est impossible, et je pense que tu prends la meilleure décision en essayant de faire ta vie ici et en coupant les ponts avec lui. C'est plus facile comme ça, je te promets.

Je n'ai pas répondu à sa remarque. Je me suis contentée de regarder au loin, parce que j'avais peur qu'elle se rende compte que j'étais troublée. Je sais que j'aurais pu en profiter pour lui dire qu'on avait repris contact, mais je ne voulais pas qu'elle me fasse la morale. C'est peut-être parce qu'une partie de moi sait que ce n'est pas une *full* bonne idée, mais on dirait que ça apaise la douleur et que je ne veux pas trop y réfléchir... J'imagine que c'est pareil pour toi.

En passant, je suis super contente que tes notes se soient améliorées ! :) Je savais bien que tu n'étais pas si nul que ça en maths ! Je suis aussi très contente de trouver une utilité à l'existence de Sarah Beaupré ! ;)

À très bientôt,
Léa xox

P.-S. : Marilou m'a dit qu'elle te trouvait plus joyeux depuis quelque temps. Est-ce que c'est notre nouvelle amitié qui te fait cet effet-là ?

À : Léa_jaime@mail.com
De : Marilou33@mail.com
Date : Samedi 14 décembre, 11 h 38
Objet : Salut, Léa ! C'est ton inconscient qui te parle

Je profite du fait que tu sois en train «de faire tes devoirs» pour jouer le rôle de ton inconscient. Je sais que c'est difficile pour toi de l'admettre, mais est-ce que ça se pourrait que tu sois (un peu) jalouse parce qu'Éloi a un rendez-vous avec une autre fille ? Après tout, tu n'étais pas non plus aux anges quand il sortait avec Marianne.

Je sais ce que tu vas me dire : « Tu hallucines ; ce n'est pas vrai ; je ne veux pas perdre son amitié ; tu es la meilleure amie du monde entier... » (OK, j'exagère. Lol !), mais d'un point de vue extérieur, je trouve que sa vie amoureuse semble t'énerver un peu trop...

Peut-être que ça te plaisait qu'il te fasse une semi-déclaration parce que tu savais qu'il n'allait pas disparaître, mais tu ne peux non plus l'empêcher de fréquenter d'autres filles si tu ne veux pas sortir avec lui ! C'est une simple réflexion... peut-être que je me trompe... Mais ça expliquerait aussi pourquoi tu n'avais pas envie de voir Alex en fin de semaine, et pourquoi ton frère t'énerve à ce point. Je sais que tu trouves que Félix a le charme facile et que ça t'agace qu'il ait toute l'attention, mais ses intentions ne sont pas mauvaises.

Je ne dis pas ça parce que j'ai (longtemps) été (follement) amoureuse de lui, mais simplement parce que je te trouve dure envers lui. Si ton frère se mêle à ta gang d'amis, c'est tant mieux, non ? En tout cas, moi, je donnerais n'importe quoi pour avoir un grand frère cool au lieu d'un petit frère que je dois toujours garder et qui fouille tout le temps dans mes affaires. Soupir. J'imagine que l'herbe est toujours plus verte chez le voisin !

Hier soir, JP et moi sommes allés voir un film chez Steph avec Seb. C'était cool de pouvoir me laisser aller avec JP devant du monde ! J'ai marché sur des œufs toute la semaine pour éviter de faire de la peine à Laurie. (Ce qui n'a eu aucun effet puisqu'elle m'ignore toujours autant et que, lorsque nos regards se croisent, elle me dévisage comme si j'étais l'incarnation du diable !) Aujourd'hui, je dois aider ma mère à préparer des tourtières pour Noël. J'ai beau lui répéter que Noël, c'est dans dix jours, et qu'il n'y a pas le feu, mais elle ne veut rien entendre. Comme elle a décidé d'inviter toute la famille (incluant mes oncles, tantes et cousins), elle veut prendre de l'avance et congeler le tout.

Je te laisse avant qu'elle me menace avec son rouleau à pâtisserie !
Lou xox

À : Léa_jaime@mail.com
De : Thomasrapa@mail.com
Date : Dimanche 15 décembre, 10 h 22
Objet : Il fait froid !

Il fait -15 °C dehors ! Aucune chance que je sorte aujourd'hui. Je devais passer au garage, mais ça ira à demain.

C'est vrai que je suis de meilleure humeur depuis quelque temps, et que tu en es en partie responsable. ☺

D'ailleurs, Sarah m'a demandé si on avait repris contact. Je lui ai simplement dit que j'avais eu de tes nouvelles, mais je lui ai fait promettre de ne pas en parler. Ne panique pas : contrairement à ce que tu penses, elle ne cherche pas à détruire ta vie. Elle tient vraiment à moi et je suis certaine qu'elle ne trahira pas mon secret.

Pour ce qui est de la discussion avec ta mère, je comprends complètement ce que tu ressens, et tu sais que je pense pareil. Je ne sais pas ce que l'avenir nous réserve, mais je garde aussi espoir.

Content que tu aies survécu au vendredi 13. Je sais que Youppi ! compte déjà parmi tes conquêtes, mais dis-lui que je le surveille de près. Sa taille et son poil orange ne me font pas peur !
Thomas

Dimanche 15 décembre

17 h 32

Léa (en ligne): Éloi? T'es là?

17 h 32

Éloi (en ligne): Ouais! Je fais mes devoirs. Toi? Ça va?

17 h 35

Léa (en ligne): Pas pire. J'ai passé la journée avec Annie-Claude. On a finalisé notre article sur les choix d'orientation au cégep. On a déjà demandé à Félix ce qu'il pensait faire et il a déjà demandé à quatre de ses amis de secondaire 5 de répondre à nos questions. Il ne reste plus qu'à compiler les réponses et on pourra envoyer notre texte à Éric demain soir!

17 h 36

Éloi (en ligne): Super! Vous êtes de vraies machines! Lol! Éric t'a parlé au sujet du numéro de janvier?

Léa (en ligne): Oui... Il m'a demandé d'écrire un tout petit texte de fiction pour introduire la section littérature. Ça me rend nerveuse! Je n'en ai jamais écrit de fiction avant... Il me semble que je suis meilleure dans les témoignages. Lol! Mais je vais penser à quelque chose. ☺

17 h 38

Éloi (en ligne): J'ai confiance en toi!

17 h 38

Léa (en ligne): Et toi... Comment s'est passée ta fin de semaine? Il paraît que tu avais un rendez-vous galant hier soir?

17 h 39

Éloi (en ligne): On ne peut rien te cacher!;) J'ai rencontré la fille, mais Félix et Katherine ont joué les chaperons toute la soirée, alors je n'appellerais pas ça «un rendez-vous galant». Lol!

17 h 41

Léa (en ligne): Ah oui... Et c'était comment?

Éloi (en ligne): Hum... Elle est vraiment super gentille. Et Félix avait raison. Elle est très « *chicks* »! Mais je ne la connais pas encore super bien. Je suis censé la revoir pour un café mercredi, et je l'ai invitée à mon party de fête chez Jeanne vendredi. D'ailleurs, j'espère que tu seras là pour célébrer?

17 h 45

Léa (en ligne): Ouais, je vais être là.

17 h 46

Éloi (en ligne): Avec Alex?

17 h 46

Léa (en ligne): Peut-être...

17 h 46

Éloi (en ligne): C'est cool pour vous! Je suis content que ça clique!

17 h 46

Léa (en ligne): Ouais.

Éloi (en ligne): Es-tu fâchée?

Léa (en ligne): Non. Pourquoi je serais fâchée?

Éloi (en ligne): Je ne sais pas... parce que je te trouve un peu froide tout à coup.

Léa (en ligne): Non, excuse-moi. Je faisais autre chose en même temps. J'ai bien hâte de la rencontrer, alors. Et j'espère que ça marchera entre vous. Bon, je dois y aller! À demain!

Éloi (en ligne): Au revoir, Léa.

À : Marilou33@mail.com
De : Léa_jaime@mail.com
Date : Lundi 16 décembre, 21 h 14
Objet : Plus que cinq jours !!!

Salut, ma belle !
Plus que cinq jours avant la fin de l'école ! Ça sent les vacances !! ❤

Je pars lundi prochain, le 23, au mont Tremblant, et j'y resterai jusqu'au 30. Je n'avais rien de prévu pour le jour de l'An, mais Félix m'a proposé de l'accompagner à une fête chez l'un de ses nombreux nouveaux amis (c'est l'un de ceux à qui nous avons posé des questions, alors au moins, je le connais un peu). Je pense que son invitation était une sorte de traité de paix, alors j'ai suivi tes conseils et je lui ai pardonné ses excès de sociabilité en acceptant son offre. Katherine passe le jour de l'An en famille, alors pour une fois, je ne serai pas la troisième roue de la bicyclette ! Mes parents m'ont même donné la permission de célébrer les douze coups de minuit là-bas, mais mon père va venir me chercher à minuit trente tapantes ! Pas de trop de folies chez les Olivier. Lol ! (Mes parents vont se commander de la pizza et genre écouter le *Bye Bye*. *Full* plate !)

Pour en revenir à tes allégations (autre mot appris dans les textes d'Éloi), j'avoue avoir ressenti un peu de jalousie à l'idée qu'Éloi sorte ENCORE avec une fille. Non, mais ! C'est quoi, son problème ? Il ne peut pas être célibataire pendant plus de deux minutes ? Et ne me dis pas que je fais la même chose que lui ! J'ai « fréquenté » un peu Alex pour me changer les idées, mais je ne suis pas en train de m'imaginer à fonder une famille avec lui, quand même !

La vérité, c'est que j'aurais aimé passer du temps de qualité avec Éloi (en amie), mais comme il fréquente (encore) une fille, j'ai l'impression de perdre ma place encore une fois. Il m'a raconté qu'il était allé à son premier rendez-vous avec Mme Parfaite (je l'appelle comme ça puisque je ne connais pas son nom), alors le mal est fait. La seule bonne nouvelle, c'est que comme les rumeurs courent vite, Marianne et Maude connaissent déjà l'existence de Mme Parfaite et qu'elles ont arrêté de me casser les oreilles avec Éloi. Maintenant, elles ne s'acharnent que sur mon histoire avec Alex !

Je suis contente pour JP et toi. J'espère sincèrement que Laurie finira par s'en remettre.

Je vais prendre un bain avant de me coucher. J'ai remis mon article aujourd'hui et je suis brûlée. Sans compter que j'ai deux examens et un travail à remettre cette semaine. Je ne comprends pas pourquoi mon père se plaint tout le temps qu'il est surmené au travail ! Le secondaire, c'est bien pire !

Tu me manques ! J'ai hâte au 16 janvier !
Léa xox

À : Léa_jaime@mail.com
De : Marilou33@mail.com
Date : Mardi 17 décembre, 16 h 58
Objet : Journée poche
1 pièce jointe : Courriel Laurie

Salut, Léa !
J'ai eu une journée difficile... Tout a commencé ce matin lorsque JP est venu me donner un petit bec à mon casier. Quand je me suis retournée vers lui, j'ai aperçu Laurie qui se tenait juste derrière nous et qui me regardait avec un air de bœuf. JP a toussoté (il était vraiment mal à l'aise), puis il est parti avant de me lancer un regard qui voulait dire « bonne chance ». Laurie s'est approchée de moi avec une boîte dans les mains.

Elle : Salut. Je voulais juste te redonner les affaires qui t'appartiennent et qui traînaient chez moi.

Moi : Ben, voyons, Laurie. Tu ne trouves pas que tu exagères ? Je comprends que tu sois fâchée contre moi, mais là, tu réagis comme si on cassait.

Elle : C'est exactement ça. Je casse avec toi. Une rupture d'amitié. Et dans tous les articles, ils recommandent de se débarrasser des objets qui nous rappellent l'autre, alors je tenais à te redonner tes affaires. Tu serais gentille de me rapporter aussi les miennes.

Moi (avec les larmes aux yeux) : Laurie... Je m'excuse. Je sais que ce n'est pas correct de t'avoir menti, mais je ne peux pas non plus contrôler mes sentiments... Dis-moi ce qu'il faudrait que je fasse pour qu'on redevienne amies ?

Elle : En supposant que je puisse te pardonner de m'avoir menti, il faudrait que tu casses avec JP. Honnêtement, je vois difficilement comment je pourrais être amie avec toi si tu sors avec lui.

Moi : Et moi, je vois difficilement comment je pourrais casser avec lui pour te rendre heureuse. Je l'aime vraiment, Laurie.

Elle : Alors, ça répond à ta question. Tu me rapporteras mes affaires demain, s'il te plaît. *Bye*.

Elle est partie et je suis restée plantée là avec ma boîte dans les mains. Steph est passée par là quelques instants après et je lui ai raconté ce qui s'était passé.

Steph : Tu sais que Laurie exagère toujours un peu et qu'elle a tendance à réagir de façon hyper dramatique. Je pense sincèrement que les choses peuvent s'arranger entre vous deux, mais il faut peut-être que tu lui laisses un peu de temps, genre après les vacances de Noël. En attendant, tu peux toujours lui écrire une lettre... Je sais que ça lui ferait plaisir.

J'ai donc suivi le conseil de Steph et j'ai écrit un courriel à Laurie que je m'apprête à lui envoyer. Je te le mets d'ailleurs en pièce jointe. Tu me diras ce que tu en penses. Je dois vraiment y aller. Il faut que je mange quelque chose avant de me rendre à mon entraînement de natation.

Lou xox

Pièce jointe :

Salut, Laurie !
Je sais que tu ne veux pas me parler en ce moment, mais je tiens quand même à te dire ce que je ressens.

Tout d'abord, je te répète que je suis désolée de t'avoir menti. Je savais que tu allais mal réagir et je ne savais pas trop comment gérer la situation, alors j'ai préféré attendre que tu te sois remise de ta peine d'amour.

Si tu veux mon avis, je pense que c'est plus une peine d'orgueil que tu vis. Tu as été blessée par JP parce qu'il a cassé avec toi (de façon assez lâche, je l'avoue) et ça te fait encore plus de peine de constater que ça fonctionne avec une autre fille (moi). La vérité, c'est que JP et toi n'étiez pas faits pour être ensemble. Je ne dis pas ça pour justifier ma relation, mais plutôt parce que je t'imagine avec un gars plus sérieux qui te comblera de petites attentions. Je pense que tu mérites un gars extraordinaire qui te rendra heureuse et qui t'aimera autant que toi, tu l'aimes.

Je m'excuse encore d'avoir trahi ta confiance. Je n'aurais jamais cru qu'un gars viendrait détruire notre amitié, mais on ne peut pas toujours contrôler ce qu'on ressent, ni de qui on tombe amoureuse.

J'espère qu'un jour, tu sauras me pardonner et redevenir mon amie.

Tu me manques,
Marilou ♥

À : Thomasrapa@mail.com
De : Léa_jaime@mail.com
Date : Mardi 17 décembre, 19 h 45
Objet : *Hello, my friend!*

Lol ! Es-tu impressionné par mon anglais ? Je suis en train d'étudier pour mon examen de demain. Jeanne ne peut malheureusement pas m'aider, parce que c'est surtout du par cœur. J'apprends tous les verbes irréguliers, et je suis désolée pour Shakespeare, mais il n'y a aucune logique là-dedans. Je sais que le français est censé être cinquante fois plus difficile, mais au moins il y a une certaine cohérence, non ?

Be	*Was*	*Been*
Begin	*Began*	*Begun*
Forget	*Forgot*	*Forgotten*

Je m'excuse : je t'utilise comme bouche-trou pour prendre une pause ! Lol.

Je retourne à mes verbes en espérant que tu survis à la dernière semaine d'examens !
Léa
xox

À : Marilou33@mail.com
De : Léa_jaime@mail.com
Date : Mercredi 18 décembre, 19 h 22
Objet : Je suis *nerd* !

Coucou !

Je tiens d'abord à te féliciter pour ton courriel. C'est honnête et très touchant. Tu as raison sur le fait que c'est plus une peine d'orgueil. Je suis certaine qu'au fond, elle ne « l'aimait » pas tant que ça. Connaissant Laurie, elle devait plus être en amour avec l'amour et elle voulait tellement avoir un chum qu'elle s'est laissé emporter par tout ça. Je pense comme Steph et je crois sincèrement que ça va finir par lui passer. Il faut juste que tu lui laisses un peu de temps.

De mon côté, ma vie n'est pas super excitante cette semaine. J'étudie même le midi ! J'avais un gros examen d'anglais aujourd'hui et je crois que ça n'a pas si mal été. Demain, j'ai un exam de maths et je dois vraiment réviser toute la matière parce que je sens que je ne comprends rien. :(

Fait divers pour toi : Alex est venu me voir aujourd'hui parce qu'il me trouve « bizarre » depuis quelques jours.

Lui : Ça va, Léa ?
Moi : Hey ! Mmm... Ben... Oui... Non... (retour en force du bafouillage). Je veux dire oui, mais j'ai des examens toute la semaine, alors je suis un peu stressée.

Lui : Moi aussi, j'ai plein d'examens, mais j'essaie de ne pas me laisser atteindre par le stress. Ça ne sert à rien.

Moi : Wow ! J'aimerais que tu me donnes ton truc.

Lui (en se collant contre moi) : Pas de problème ! Veux-tu qu'on se voie après l'école pour en discuter ?

Moi (mal à l'aise) : Euh... Ha ! Ha ! C'est gentil, mais je dois vraiment étudier ce soir.

Lui : Qu'est-ce qui se passe, Léa ? T'es comme froide depuis la semaine dernière. Est-ce que tu me trouves trop collant ? Tu peux me le dire si tu veux de l'espace.

Moi : Non ! Ce n'est pas ça... Excuse-moi... J'agis comme ça quand je suis stressée. Je ne peux vraiment pas me libérer cette semaine, mais on pourra se voir vendredi au party de Jeanne, non ? On peut même y aller ensemble, si tu veux.

Lui (en souriant) : OK !

Il m'a donné un petit baiser sur la joue et il est parti. J'ai alors aperçu Marianne, Lydia et Maude qui me regardaient en chuchotant. Sophie était assise derrière elles et faisait semblant de pleurer.

J'ai décidé de les ignorer, mais Maude est venue se planter devant moi.

Elle : Tu fais de la peine à Sophie.

Moi : Maude, je t'ai déjà dit que je n'avais rien à me reprocher. Si elle tripe tellement sur Alex, pourquoi elle ne lui dit pas ?

Elle : Ben là, c'est évident qu'il va la rejeter. Il tripe sur toi et ça paraît.

Moi : Je m'excuse. Je ne contrôle pas ses sentiments.

Elle : En tout cas, j'espère que tu ne t'attends pas à mettre la main sur tous les gars de l'école sans que j'intervienne.

Moi : Ce n'est pas mon intention, Maude.

Jeanne est arrivée à cet instant.

Jeanne : Ça va, les filles ?

Maude (en souriant de façon hypocrite) : Oui. Je disais justement à Léa que j'avais hâte de la voir à ton party. À vendredi, Léa !

Maude a tourné la tête en faisant virevolter ses cheveux bouclés. Elle portait des jeans super moulants et le chandail que j'ai vu dans la vitrine du Garage et que j'ai demandé à ma mère pour Noël (note à moi-même : dire à ma mère de ne pas acheter ce chandail).

Jeanne : C'est drôle, mais j'ai l'impression qu'elle n'était pas vraiment en train de te dire à quel point elle avait envie de te voir à la fête.

Moi : Ouais... Tu as bien deviné. Les filles pensent que je vole tous les gars de l'école. Je ne comprends pas trop pourquoi elles s'en prennent autant à moi.

Jeanne : Autant j'adore Maude, autant je sais qu'elle

peut être super *bitch* quand elle éprouve de la jalousie. Le mieux à faire, c'est de l'ignorer comme tu fais. Plus tu la défies, plus elle cherchera à te causer des ennuis.

Moi : Je vois ça... Changement de sujet. Est-ce que l'ami d'Alex vient au party ?

Jeanne (en rougissant) : Euh... Quel ami ?

Moi : L'ami super drôle qui faisait plein de chorégraphies !

Jeanne : Ah, lui ! Eh bien, j'ai dit à Alex d'inviter ses amis. Je ne sais pas s'il viendra ou non.

Moi : Tu sais, Jeanne, c'est correct de t'intéresser à un gars. Je ne te jugerai pas !

Jeanne (en riant) : Est-ce que ça paraît tant que ça ? Je sais que c'est normal, mais je ne veux vraiment pas de chum, tu comprends ? Je vois mes amies qui se chicanent toujours à cause des gars et je n'ai pas envie de ça. Je n'ai pas non plus envie qu'un gars me fasse de la peine.

Moi : Je te comprends. Laisse aller les choses et tu verras ce qui se passe. Si l'occasion se présente et que tu as envie d'être avec lui, tant mieux, mais si tu sens que tu n'es pas prête, laisse tomber.

Jeanne : Wow ! Tu donnes des bons conseils.

Moi : Ha ! Ha ! J'essaie ! Si seulement j'étais aussi bonne pour les appliquer à ma propre vie, je sentirais moins que je fais partie de la distribution des *Frères Scott* et que ma vie est digne d'un feuilleton télé.

J'ai dit ça en regardant en direction des nunuches. J'ai vu Sophie se lever et courir vers Alex qui passait près d'elle. Elle riait et faisait tout pour attirer son attention. J'avoue que Jeanne marque un bon point lorsqu'elle parle des gars. C'est vrai que ça nous rend folles et que ça cause des ennuis. Si seulement on pouvait vraiment s'en passer. ;)
Léa xox

À : Léa_jaime@mail.com
De : Katherinepoupoune@mail.com
Date : Jeudi 19 décembre, 15 h 59
Objet : Demain

Salut, Léa !
J'espère que tes examens se déroulent bien cette semaine ! Moi, ça va, mais ton frère me déconcentre tout le temps. Lol ! Je voulais premièrement te dire que je trouve ça *full* cool qu'on puisse passer plus de temps ensemble grâce à lui. Ça m'a permis d'apprendre à te connaître et d'entrer dans la famille Olivier. Lol !

Je voulais aussi te demander si ça te dérange que j'invite Félix demain soir. Tu le connais : il voulait s'imposer sans te demander la permission, mais je sais que tu t'es un peu chicanée avec lui parce que tu sens qu'il s'immisce dans ta vie, alors je préférais te le demander en premier.

Bonne étude !
Luv,
Katherine

Vendredi 20 décembre

Marilou (en ligne): LÉA!!! C'EST LES VACANCES!! YOUPI!!!

17 h 01

Léa (en ligne): Je sais!! Je suis TELLEMENT contente! J'ai été vraiment *nerd* toute la semaine, on dirait que je ne réalise même pas que c'est fini!!

17 h 02

Marilou (en ligne): Qu'est-ce que tu fais? Moi, je me prépare pour le party de Noël de l'école! Ça risque d'être plate, comme chaque année... mais au moins, je pourrai danser des slows avec des gars. Lol!

17 h 03

Léa (en ligne): Lol! Moi aussi, je me prépare pour le party chez Jeanne. Mais je ne sais pas quoi mettre (comme d'habitude). Je pense que je vais peut-être opter pour une robe.

Marilou (en ligne): C'est une bonne idée! Ça fera différent. Pourquoi tu ne mets pas ta robe rouge en laine? Ça te mettra dans l'ambiance de Noël!

17 h 05

Léa (en ligne): Tu ne la trouves pas trop moulante? Il me semble qu'on voit mon petit ventre dans cette robe-là.

17 h 05

Marilou (en ligne): 1- Quel petit ventre? Veux-tu arrêter de complexer sur des choses inexistantes, s'il te plaît?
2- Elle est juste assez moulante.;) Elle n'est pas vulgaire du tout.

17 h 07

Léa (en ligne): Bon, OK. Je vais oser, alors! (C'est une de mes résolutions de la nouvelle année: dire un peu plus ce que je pense et porter les vêtements que j'ai envie de porter sans toujours avoir peur du jugement des autres. Mme Nonchalante est de retour!)

17 h 08

Marilou (en ligne): Bravo, Léa! Je vois que je déteins sur toi. Mouahaha!

17 h 08

Léa (en ligne): Ah oui: Katherine m'a écrit pour savoir si elle pouvait inviter Félix ce soir. J'ai dit oui. Ça créera une diversion pour les nunuches.

17 h 09

Marilou (en ligne): Cool! Est-ce qu'elle a signé «*Luv*»?

17 h 09

Léa (en ligne): Oui!;)

17 h 09

Marilou (en ligne): Lol! Bon, je te laisse. JP vient d'arriver. Je t'aime, ma belle! Amuse-toi ce soir avec Alex! Ou Éloi...

17 h 10

Léa (en ligne): Pfff!;) Amuse-toi aussi! JTM!

À : Marilou33@mail.com
De : Léa_jaime@mail.com
Date : Samedi 21 décembre, 00 h 41
Objet : Je suis (encore) perdue

Salut !
Je n'arrive pas à dormir, alors je me suis dit que ça m'aiderait de te relater ma soirée.

Tout a bien commencé : Alex est venu nous rejoindre à la maison avec Katherine et nous sommes partis tous les quatre en direction de chez Jeanne. Mes parents ont même prêté leur auto à Félix pour l'occasion. (Sous promesse solennelle qu'il ne consommerait pas une seule goutte d'alcool – de toute façon, les parents de Jeanne étaient là, alors il n'y avait que des boissons gazeuses, du punch aux fruits et de l'eau.)

J'avais acheté un petit quelque chose pour la fête d'Éloi (un stylo vraiment original de son groupe préféré parce qu'il me vole toujours les miens – surtout celui de Justin Bieber), et je lui avais même écrit une petite carte d'anniversaire :

J'espère que ce cadeau te fera penser à moi chaque fois que tu l'utiliseras !
Joyeux anniversaire,
Léa

(Ce message est important pour la suite des événements.) Jeanne avait décoré son sous-sol et tout le monde devait porter un bonnet de Noël ! Au début, Sophie et les nunuches se sont assises avec Katherine et mon frère, ce qui me permettait de respirer un peu et de rigoler avec Éloi. Édith et Mme Parfaite sont arrivées peu de temps après. (Mme Parfaite est effectivement aussi belle qu'une mannequin. Je ressemble à un troll à côté d'elle.) Alex en a profité pour venir près de moi et passer ses bras autour de ma taille.

Lui : Salut !
Moi : Salut !
Lui : T'es super belle, ce soir.
Moi (en rougissant) : Merci.

Puis il y a eu un slow et j'ai vu Éloi qui dansait langoureusement avec Mme Parfaite. J'ai tout de suite attrapé Alex par la main et je l'ai attiré vers le plancher de danse. En dansant, mon regard a croisé celui d'Éloi. Je lui ai souri et il m'a répondu en m'envoyant un clin d'œil. C'est à ce moment-là que j'ai réalisé que je ne ressentais pas « d'amour » pour Alex. Je l'aime bien et je le trouve super beau (sans compter qu'il embrasse bien), mais la vérité, c'est que j'étais en train de l'utiliser pour rendre Éloi jaloux. Je sais que tu me l'avais déjà dit, mais on dirait qu'il fallait que je le réalise moi-même pour arriver à la même conclusion.

Après le slow, je me suis détournée légèrement et je suis allée m'asseoir avec Katherine et mon frère. À ma grande surprise, j'ai découvert qu'elle avait assez de caractère pour tenir tête à Félix !

Lui : C'est plate. Est-ce qu'on peut y aller, maintenant ?
Elle : Ben là, on vient juste d'arriver !
Lui : Oui, mais Édith veut qu'on aille dans un party vraiment plus le fun que des amis à nous organisent.
Elle : Je ne suis pas *full* à l'aise avec tes amis de secondaire 5. Ils me regardent comme si j'étais un bébé.
Lui : Et moi, je ne suis pas à l'aise ici. Surtout pas quand ma petite sœur se colle contre un gars que je ne connais pas.
Moi : T'es con !
Elle : Tu connais Alex, voyons ! Et moi, je veux rester ici pour encore au moins une heure. Si tu veux m'attendre, tant mieux. Sinon, t'as juste à partir sans moi.

Tu aurais dû voir la face de mon frère ! Il avait l'air aussi surpris que moi qu'elle réagisse comme ça ! Je lui ai fait des gros yeux pour lui dire de se calmer le pompon.

Lui : Bon, je vais attendre encore un peu, mais c'est plate quand même.

Éloi est alors apparu devant moi.

Éloi : Veux-tu danser ?
Moi : Euh... OK !

En me levant, j'ai approché ma bouche de son oreille pour lui chuchoter quelque chose.

Moi : Merci de me sauver ! J'étais coincée au milieu de leur chicane de couple.

Éloi m'a prise dans ses bras et on a dansé pendant un long moment. Je sentais la même tension qu'à la danse d'Halloween, mais avec plus de clarté : je savais que je voulais être avec lui. Je savais aussi que ce n'était pas le meilleur moment pour lui dire. Surtout pas avec Mme Parfaite et Alex dans la pièce. D'ailleurs, c'est une drôle de coïncidence, mais comme Mme Parfaite est en secondaire 5, on dirait que Marianne et Maude sont impressionnées par elle et n'osent pas trop lui faire de gros yeux. En tout cas, ce n'est pas comme si elles se gênaient avec moi. Heureusement, Maude était trop occupée à se chicaner avec José pour causer des ennuis ailleurs.

Notre (long) slow a été interrompu par Jeanne qui est apparue avec un immense gâteau d'anniversaire. Tout le monde s'est mis à chanter et Éloi avait l'air super content. Du haut de ses deux mètres (légère exagération), Mme Parfaite l'a ensuite serré dans ses bras devant moi, un peu pour me faire comprendre que je n'avais aucune chance.

Puis les gens se sont mis à lui offrir leurs cadeaux. Je suis allée chercher le mien, mais je ne trouvais plus la carte qui l'accompagnait. J'ai fouillé partout, mais elle avait disparu.

J'ai alors entendu Jeanne s'exclamer : « Tiens, Éloi ! Ça, c'est le cadeau de Léa ! » J'ai vu qu'elle lui tendait bel et bien ma carte, mais que le cadeau ne correspondait pas au mien. Il avait dû y avoir confusion !

Éloi a lu la carte, puis il a déballé mon faux cadeau avant que je puisse intervenir. Devine ce que c'était ? Une brosse à toilette ! Si tu te souviens bien, ma carte disait « *J'espère que ce cadeau te fera penser à moi chaque fois que tu l'utiliseras !* » J'étais morte de honte !

Il y a eu un gros silence et tout le monde s'est tourné vers moi (malaise numéro 1 : les regards se rivent sur moi et je deviens littéralement rouge comme une tomate). Éloi brandissait la brosse à toilette sans trop comprendre ce que j'essayais de lui dire.

Moi : Je… Euh… Mais… Ce n'est pas… B-bonne fête !
(Malaise numéro 2 : le retour de mon bafouillage.)
Alex : Hey ! C'est mon cadeau, ça ! J'ai juste eu le temps de passer à la pharmacie, mais je me suis dit qu'une brosse à toilette te ferait plaisir.
Moi : Ouais… c'est ce que je voulais dire… Ce… Ce n'est pas mon cadeau.

Alex a senti mon malaise et il a rapidement attiré l'attention vers sa brosse de toilette, ce qui m'a permis de respirer un peu et de fuir jusqu'à la salle de bains question de m'asperger de l'eau sur le visage (dans le but de reprendre une couleur normale).

Éloi m'attendait à l'extérieur des toilettes. (Malaise numéro 3 : une chance que je n'ai pas fait pipi, car il m'aurait entendue.)

Lui : Alors, si ce n'est pas la brosse de toilette qui me fera toujours penser à toi, c'est quoi ?
Moi : Ha ! Elle est bonne ! Tu sais, une brosse de toilette, c'est pratique aussi. Ha ! (Malaise numéro 4 : parler de façon hystérique sans pouvoir me contrôler.)
Lui : Tu es donc bien bizarre, tout à coup ! Allez ! C'est quoi, mon vrai cadeau ?

Je me suis dit que ce serait vraiment super romantique de lui répondre en l'embrassant (comme dans les films), mais à la place, j'ai continué à bafouiller et j'ai fini par m'étouffer. Il me regardait en se grattant la tête.

Lui : Ça va ?
Moi : Oui ! Hum ! (Tousse !) Je... Je... (Tousse...) Vais... aller le chercher.

J'ai finalement réussi à lui offrir mon (vrai) cadeau sans faire de crise de panique. Il avait l'air super content. (Et sûrement soulagé que ce ne soit pas, genre, du papier de toilette !)

Après ça, on est allés s'asseoir avec Jeanne et Annie-Claude qui s'amusaient à imiter les profs. Je riais tellement que j'avais mal au ventre ! L'ami d'Alex (qui s'appelle Alexis) est arrivé à ce moment-là. Jeanne et lui ont aussi discuté pendant un long moment (Hum, hum ! À suivre !)

Alex s'est joint à nous et nous avons continué de faire des blagues jusqu'à ce que Katherine vienne nous interrompre.

Elle : Excusez-moi de vous déranger, mais Félix est vraiment tanné, alors je pense qu'on va aller faire un tour à son autre party. Léa, veux-tu venir avec nous ?

Je me suis tournée vers Éloi. J'ai vu qu'il s'était levé et qu'il cherchait son manteau. Il partait avec Édith, Mme Parfaite, Félix et Katherine. Merde.

Moi : Non, c'est correct. Je vais rester ici avec Alex, Jeanne et Annie-Claude.

Katherine : Mais qui va te raccompagner ?

Alex : Mon ami Alexis a son permis de conduire. Ça va nous faire plaisir de te raccompagner, Léa.

Félix (en s'immisçant dans la conversation) : C'est qui, Alexis ? Tu m'excuseras, Alex, mais je dois faire une vérification bien en règle avant de laisser ma petite sœur de 14 ans revenir en voiture avec un gars que je ne connais pas.

J'ai soupiré, mais au fond, j'étais contente que Félix me protège comme ça. Je suis toutefois intervenue pour simplifier les choses.

Moi : C'est gentil, Alex, mais je vais demander à ma mère de venir me chercher.

Sur ce, Éloi, mon frère et les filles sont partis. J'ai fait semblant de m'amuser pendant le reste de la soirée, mais j'avais une boule dans la gorge. J'ai appelé ma mère, puis j'ai demandé à Alex si on pouvait se parler en privé deux minutes.

Moi : Alex, il faudrait que je te dise quelque chose...

Lui : Je pense que je sais ce que tu vas me dire.

Moi : Ah oui ?

Lui : Je le vois bien que tu n'es pas follement amoureuse de moi. C'est correct, Léa. Je comprends.

Mais j'aimerais qu'on reste amis. Il me semble qu'on a vraiment du fun ensemble.

Moi : Wow ! Tu es comme devin ! Ce n'est pas que tu m'intéresses pas... C'est juste que... Je pense que j'ai des sentiments pour quelqu'un d'autre. Mais moi aussi, j'aimerais vraiment qu'on reste amis.

Puis on s'est serrés dans nos bras. Wow ! Si toutes les « ruptures » pouvaient être aussi simples. Mettons qu'avec Thomas, ça a été un peu plus déchirant. Lol !

Quand ma mère est venue me chercher, elle a remarqué que j'avais l'air à l'envers. (Qu'est-ce qu'elle a à toujours lire dans mes pensées !) Je lui ai dit que je pensais être amoureuse d'Éloi, mais qu'il avait déjà une blonde (mannequin).

Elle : Je suis contente que tu éprouves des sentiments pour lui. Après notre conversation de l'autre jour, j'avoue que j'avais peur que tu restes trop accrochée à Thomas. Est-ce qu'Éloi sait ce que tu ressens ?

Moi : Non. Il a une blonde en ce moment. Elle est vraiment belle. Alors je pense qu'il ne m'aime pas.

Elle : Mais Léa, si tu ne lui dis pas, il ne le saura jamais ! C'est important que tu lui avoues ce que tu ressens. Tu te sentiras mieux après, et au moins, tu en auras le cœur net.

Moi : Ouais... Peut-être. Merci, maman. C'est gentil.

Elle m'a regardée et j'ai vu une lueur dans ses yeux. J'avais peur qu'elle commence à pleurer, alors j'ai toussoté et j'ai changé de sujet avant que ça dégénère. Lol !

À bien y penser, je crois que mon histoire avec Alex m'a servi de pansement après Thomas, mais ma mère a raison et il est temps que j'affronte les vraies choses. Je ressens plus que de l'amitié pour Éloi et je suis tannée de jouer à l'autruche.

Wow, j'espère que tu ne t'es pas endormie pendant la lecture de mon roman ! Écris-moi demain matin ! Et merci, Marilou... Je sais que ça me prend parfois du temps à réaliser certaines choses, mais j'aime que tu sois là pour m'aider à avancer.
Léa xox

Chapitre 3
Bonne année !

Inscris un titre : Ma résolution

Écris ton problème : Salut, Manu ! Les choses se sont un peu bousculées au cours des dernières semaines, mais je sens enfin que j'y vois plus clair dans mes histoires d'amour. Thomas occupera toujours une place dans mon cœur, et je suis contente qu'il soit encore dans ma vie, mais je sais aussi que je ne peux pas le revoir pour l'instant, parce que ça rouvrirait une plaie encore trop fraîche.

J'ai aussi décidé de terminer mon histoire avec Alex. On n'est jamais vraiment sortis ensemble, mais disons qu'on se tenait compagnie et qu'on s'amusait bien. Le problème, c'est que je commençais à trouver ça de moins en moins drôle... surtout quand j'ai enfin réalisé que je ressentais quelque chose pour Éloi.

J'espère que tu n'es pas trop exaspéré par tous mes revirements amoureux. En fait, c'est en lisant les conseils que tu donnes aux autres filles que j'ai décidé de prendre une résolution pour la prochaine année : je veux être plus honnête avec moi-même et m'assumer davantage face aux autres (même avec la gang de filles qui me détestent et qui utilisent tous les prétextes pour me rendre la vie impossible).

Je voulais aussi te souhaiter une bonne année !

Ta fidèle admiratrice,
Léa xox

Manu répond à deux questions par semaine. Tu seras peut-être choisie...

À : Léa_jaime@mail.com
De : Marilou33@mail.com
Date : Vendredi 27 décembre, 10 h 58
Objet : J'aime les vacances !

Salut !
Alors, c'est comment, le mont Tremblant ? Avez-vous passé un beau Noël en famille ? De mon côté, c'était très intense (comme d'habitude) ! J'ai couru d'un bord à l'autre pour aider ma mère et on a reçu toute la famille chez nous pendant trois jours ! Je n'ai pas vu JP de la semaine (il était dans sa famille à Québec), mais il revient tantôt ! Youpi ! J'ai tellement hâte de le voir !

Toi ? As-tu pu parler à Éloi avant de partir ? Est-ce que tu t'amuses ? J'espère que tu m'écriras, car cinq jours sans toi, c'est beaucoup trop long !
Lou xox

À : Léa_jaime@mail.com
De : Thomasrapa@mail.com
Date : Samedi 28 décembre, 09 h 21
Objet : Joyeux Noël et bonne année !

Salut !
Juste un petit mot pour te souhaiter un joyeux Noël (en retard) et une bonne année (en avance). Je suis très souvent au garage de mon oncle et je n'ai pas beaucoup

accès à Internet, mais ça ne veut pas dire que je ne pense pas à toi!

Je te souhaite tout le bonheur que tu mérites, Léa, et dis à Youppi! de prendre soin de toi.
Thomas

À : Marilou33@mail.com
De : Léa_jaime@mail.com
Date : Dimanche 29 décembre, 16 h 10
Objet : Je suis vivante!

Salut, Lou!
Tu auras deviné que nous n'avons pas accès à Internet au chalet. Je pense que mes parents ont fait exprès pour éviter qu'on passe toutes les vacances devant nos ordinateurs. Lol! Je t'écris donc d'un petit café Internet dans le village de Tremblant.

C'est génial, ici. Ça ressemble un peu à un village de poupée. J'ai passé la semaine à m'entraîner à faire du snowboard avec Félix et à manger comme une cochonne! Chaque soir, on écoute des films ou de la musique. C'est très relaxant et ça fait du bien! Je ne me suis même pas chicanée avec mes parents ou mon frère encore.

Je n'ai pas parlé à Éloi, mais Félix m'a confirmé qu'il serait au party du jour de l'An. Je ne sais pas s'il fréquente encore Mme Parfaite, mais j'aurai au moins l'occasion de le voir.

Je dois déjà y aller! Mes minutes sont comptées (littéralement) et mon père m'attend en soupirant (euh, allo la pression!), mais je te redonne des nouvelles dès que je rentre à Montréal!

Je t'aime et je te souhaite de belles retrouvailles avec JP!
Léa xox

À : Thomasrapa@mail.com
De : Léa_jaime@mail.com
Date : Dimanche 29 décembre, 16 h 17
Objet : À toi aussi!

Je te souhaite aussi tout plein de belles choses, Thomas. Ça rend toujours un peu nostalgique, le temps des fêtes, hein? J'espère que tu t'amuses dans ta famille. Tu salueras ta mère pour moi.
Léa xox

P.-S. : Youppi! prend soin de moi. Un vrai gentleman!

À : Marilou33@mail.com
De : Léa_jaime@mail.com
Date : Mardi 31 décembre, 15 h 30
Objet : Des papillons dans le ventre

Salut, Lou !
Peux-tu croire que dans quelques heures, on pourra dire adieu à l'année et repartir à zéro ? Pour être bien honnête, je suis contente que l'année se termine. C'est bien beau les grands changements et les nouveaux départs, mais je n'ai jamais vécu de moments aussi difficiles dans ma vie. Un déménagement, une nouvelle ville, une nouvelle maison, une peine d'amour, une gang de filles qui ne m'aiment pas... Mettons que c'était loin d'être une année de rêve !

Je sais que les choses s'améliorent et je sens que je m'habitue de plus en plus à ma nouvelle vie, mais j'avoue que je me sens encore intimidée quand je vais dans un magasin où personne ne parle français et quand je me promène en métro et que je me sens comme une aiguille dans une botte de foin. C'est tellement grand, ici, que je me sens encore un peu comme une touriste lorsque je me balade en ville. Et je ne sais pas si je te l'avais dit (je pense que non, parce que j'avais trop honte), mais comme Maude et Marianne se moquaient toujours de mon accent, j'ai passé des heures à m'exercer dans ma chambre pour essayer de parler plus comme les gens de Montréal. Ici, ils ne disent pas « arrête » comme nous, et ils prononcent souvent le « a » comme « â ». Bref, j'ai tellement fait d'efforts pour essayer de m'intégrer que ça m'épuise un peu.

D'un autre côté, je me rends aussi compte des éléments positifs de ma nouvelle vie. Comme les magasins, le journal étudiant et mes quelques nouveaux « amis ». Je sais que Jeanne est super fine, mais dans ma tête, elle reste une amie des nunuches, alors je dois rester sur mes gardes. Il y a aussi Annie-Claude, mais comme elle est engagée dans à peu près tous les comités qui existent, ce n'est pas évident de trouver du temps pour nous voir en dehors de l'école. Enfin, il y a Éloi. Je sens que c'est le seul sur qui je peux vraiment compter en tout temps. Et c'est tellement naturel avec lui ; c'est un peu comme si on se connaissait depuis toujours. Et c'est aussi le seul avec qui je ne feins pas mon accent. J'ai l'impression qu'il m'accepte comme je suis, avec mon petit côté campagnard et mes réflexions bizarres !

Désolée pour le long résumé de ma vie. C'est l'effet du 31 décembre ! Lol ! Mais c'est pour toutes ces raisons que j'aimerais discuter avec Éloi et lui dire ce que je ressens. Le problème, c'est que Félix m'a dit que Mme Parfaite allait venir à la fête avec Édith. :(

Et toi ? Que fais-tu ce soir ? Vas-tu à ton traditionnel party de famille avec tourtières et rigodon ? Moi, je t'y accompagnerais bien, en tout cas ! J'espère que les retrouvailles avec JP se sont bien déroulées... Ça doit faire du bien d'être en vacances des sautes d'humeur de Laurie, non ? Tu peux embrasser JP quand tu veux, où tu veux... Lol !

Bon, je te laisse ! Je vais aller essayer ma robe pour ce soir. Je l'ai achetée à Mont-Tremblant avec ma mère. Je la trouve super belle, mais je me demande si elle n'est pas un peu trop intense pour la soirée. Je sais que ma résolution est d'oser un peu plus, mais de là à me métamorphoser en poupoune... Il y a des limites ! Donne-moi des nouvelles !
Léa xox

À : Léa_jaime@mail.com
De : Marilou33@mail.com
Date : Mercredi 1er janvier, 01 h 22
Objet : Bouh hou :(

Sais-tu quel est le problème avec le jour de l'An ? On s'attend toujours à une soirée INCROYABLE et MÉMORABLE comme dans les films, mais ça ne fonctionne jamais.

Tu comprendras que je ne suis pas de super humeur. :(Hier après-midi, j'avais rendez-vous avec JP et je voulais en profiter pour le convaincre de m'accompagner à mon party de famille. Je sais que c'est quétaine, mais chaque année, je m'amuse vraiment à danser avec mes oncles qui louent toujours la même salle au club de golf pour célébrer l'arrivée de la nouvelle année. Les décorations sont toujours un peu moches, le souper un peu dégueu, mais on s'amuse quand même. Mais tu le sais déjà puisque tu m'y as accompagnée !

Mais JP ne voulait rien entendre : il voulait aller dans un party de jeunes avec ses amis. Je comprends qu'il veuille s'amuser avec Seb et Thomas, mais ça m'énerve qu'il préfère être avec eux plutôt qu'avec moi. En plus, je savais que Laurie allait être là, et avec tout ce qui s'est passé entre nous, on dirait que je n'arrive pas à lui faire confiance. Elle m'en veut tellement que j'ai peur qu'elle fasse quelque chose pour me rendre la pareille. Je sais ce que tu vas me dire : «Tu devrais faire confiance à JP ; Steph sera là pour les espionner ; Laurie est peut-être intense, mais elle n'est pas méchante à ce point... », mais quand même, je n'ai pu m'empêcher de lui faire une crise. Et ça a dégénéré.

Lui : Marilou, ce n'est rien contre toi. J'ai juste envie de fêter le jour de l'An avec mes amis. Et j'aimerais ça que tu viennes, mais tu ne peux pas. Alors, on se verra demain, c'est tout !
Moi (en devenant de plus en plus hystérique) : Tu ne comprends RIEN ! Je veux passer les douze coups de minuit avec toi, bon ! Je n'ai jamais été embrassée

pour vrai à minuit, et maintenant que j'ai un chum, je veux que ça m'arrive!

Lui : Voyons, Marilou! On s'en fout, de minuit! Je peux t'embrasser maintenant, c'est la même chose!

Moi (en perdant de plus en plus mon sang-froid et en sanglotant) : NOOOOON! Ce n'est pas pareil! Et si je ne suis pas là, qui vas-tu embrasser, toi, à minuit?

Lui : Euh... personne! Je vais trinquer avec Seb et Thomas.

Moi (possédée par le démon) : Dis-le donc que tu vas *frencher* Laurie!!!

Lui : QUOI? De quoi tu parles? Penses-tu vraiment que j'ai envie d'embrasser Laurie après tout ce qui s'est passé? Et ça sort d'où, cette crise de jalousie?

Moi : Ça sort de ma tête! Laurie est tellement fâchée contre moi que je ne lui fais pas confiance!

Lui : Et tu n'as pas pensé à ME faire confiance? Je suis ton chum, après tout! Ça me choque vraiment que tu réagisses comme ça. Je pense que je ferais mieux d'y aller.

Moi : Ben c'est ça! Va rejoindre tes amis! *BYE*! Bonne année, en passant!

Lui (super froid) : Bonne année, Marilou.

Après ça, je suis rentrée chez moi et j'ai été entraînée dans un tourbillon de préparatifs pour le jour de l'An. J'ai fait des efforts pour avoir l'air de bonne humeur toute la soirée, mais au fond de moi, je ne me sentais vraiment pas bien. La vérité, c'est que j'avais un petit espoir que JP arrive avant minuit pour me serrer dans ses bras et réaliser mon rêve quétaine, mais ça ne s'est pas produit. Donc, quand on a fait le compte à rebours et que tout le monde s'est mis à sauter dans les airs pour célébrer la nouvelle année, j'ai éclaté en sanglots.

Mon père m'a regardée d'un drôle d'air et j'ai dû lui dire que je m'étais chicanée avec JP. Il avait l'air un peu mal à l'aise (c'est rare que je lui fasse ce genre de confidences), mais il m'a tendu une coupe de champagne. «Une exception pour célébrer la nouvelle année dans la joie!» Wow! Si mon père me donne la permission de boire de l'alcool, je ne refuserai pas. Je l'ai bu d'un seul coup et j'ai senti ma tête tourner légèrement. J'ai dansé pendant trente minutes sans penser à rien, puis j'ai commencé à avoir mal à la tête. Plutôt que de sombrer dans l'alcool, j'ai demandé à mes parents si je pouvais rentrer plus tôt à la maison. Mon oncle (un des seuls qui étaient sobres) m'a raccompagnée, et je me suis effondrée devant l'ordi en réalisant que je n'avais reçu ni courriel, ni message téléphonique de JP. :(

Je pense que je vais aller me coucher avant de faire d'autres niaiseries. J'espère que mon année sera plus réjouissante que la journée que je viens de passer.

Bonne année, Léa! Tu me manques terriblement en ce moment. :(J'espère que tu t'es amusée plus que moi ce soir...
Lou xox

À : Marilou33@mail.com
De : Léa_jaime@mail.com
Date : Mercredi 1er janvier, 09 h 22
Objet : Je suis là !

Pauvre Lou ! J'espère que tu vas mieux et que les choses vont s'arranger avec JP. Tu as peut-être réagi (un peu) fort, mais qui suis-je pour te juger ?

Mon jour de l'An s'est révélé aussi désastreux que le tien. On peut dire qu'on forme une belle équipe ! ;) Je suis arrivée au party avec Félix vers 20 h. Il y avait plein de monde que je ne connaissais pas, et la majorité des gens étaient plus vieux que moi (je commence à comprendre Katherine quand elle dit qu'elle ne se sent pas à sa place). Édith et Mme Parfaite sont arrivées peu de temps après, et la vérité, c'est que je ne savais pas trop quoi leur dire. Félix me présente toujours comme « sa petite sœur », et je n'ai rien en commun avec elles. Elles sont l'équivalent des nunuches dans deux ans ! Lol !

Félix m'a tendu un verre de mousseux pour m'aider à me « détendre ». La vérité, c'est que j'avais surtout très hâte qu'Éloi arrive. On ne s'était pas parlé depuis le party, et je ne savais pas trop où il en était rendu avec Mme Parfaite.

Éloi est arrivé d'un party de famille avec son cousin qui était en visite chez lui, juste avant minuit. Après le compte à rebours, il m'a souri et m'a prise dans ses bras. J'allais lui demander de lui parler en privé lorsque Mme Parfaite s'est approchée de lui et lui a donné un gros bec mouillé sur la joue. Beurk! Il s'est tourné vers elle et l'a serrée dans ses bras à son tour. Je commençais sincèrement à m'énerver, alors je me suis dit qu'un deuxième verre de mousseux ne me ferait pas de tort. Je me suis assise dans un coin pour le boire et pour décompresser. C'est à ce moment-là qu'Éloi est venu me rejoindre. Il a frappé doucement son verre contre le mien.

Lui : Bonne année encore, Léa.

Moi : Merci. En tout cas, j'espère qu'elle sera meilleure que la dernière.

Lui : Je suis sûr que oui !

Moi : Pfff (le mousseux me montait à la tête et je pense que je devenais de moins en moins cohérente).

Lui : Et puis ? Comment tu le trouves ?

Moi : De qui tu parles ? Félix ? Toujours aussi énervant que d'habitude...

Lui : Ben non, voyons ! Je parle de mon cousin !

Moi : Euh... correct. Pourquoi ?

Lui : Eh bien, il m'a demandé si j'avais des amies célibataires, et comme j'ai croisé Alex après Noël et qu'il m'a dit que vous étiez juste des amis, je me suis dit qu'il pourrait peut-être t'intéresser ?

Moi (en sautant complètement ma coche): QUOI ? Genre que tu t'es dit que ton amie rejet et pathétique allait sûrement être intéressée par n'importe quel gars qui se présente sur sa route ? Pour qui me prends-tu, Éloi ?

Lui : Euh... Je m'excuse, Léa. Je ne pensais pas que tu allais réagir comme ça !

Moi : Comment veux-tu que je réagisse ! Non, il ne m'intéresse pas, ton cousin ! Et si t'es trop niaiseux pour réaliser que c'est toi qui m'intéresses, eh bien, c'est tant pis pour toi !

Et vlan ! Je me suis levée et je me suis dirigée vers la salle de bains. J'ai verrouillé la porte et j'ai éclaté en sanglots. Un gros bravo pour mon « nouveau départ » ! Je commence l'année seule en pleurant, assise sur le bord de la baignoire d'un gars que je connais à peine. J'ai regardé ma montre et j'ai réalisé qu'il était presque minuit trente. Telle Cendrillon, j'ai tapoté mes yeux avec un mouchoir, j'ai versé de l'eau sur mon visage, je suis allée chercher mon manteau et je suis partie en douce pour attendre mon père à l'extérieur. Félix était dehors et accompagnait Édith pendant qu'elle fumait (beurk). Il ne m'a pas vue, mais j'ai remarqué qu'il se collait un peu trop sur elle pour un gars qui a une blonde. J'espère qu'il n'a pas fait de niaiseries. Je n'ai pas eu le temps de l'espionner plus longtemps parce que j'ai vu la voiture de mon père approcher.

On est rentrés chez nous en silence. Je lui ai dit que la soirée avait bien été, parce que je n'avais aucune envie de lui raconter à quel point je me sentais à l'envers. Mes parents font tellement d'efforts pour essayer de me rendre heureuse et pour que je m'adapte mieux à ma vie ici que je ne veux pas les décevoir en craquant au jour de l'An. Surtout que je ne me sens pas à l'aise de parler de mes trucs personnels avec mon père. On dirait qu'il a plus de facilité avec Félix qu'avec moi. Ma mère m'a dit que c'était parce que « je devenais une femme et qu'il ne savait pas trop comment me prendre », mais je ne vois pas le rapport.

Je me suis endormie dès que ma tête a touché l'oreiller (effet du mousseux), mais je me suis réveillée à 8 h avec un mal de crâne et une boule dans la gorge. Bravo, Léa, pour ce début d'année tout en beauté ! Tu aurais dû me voir quand je me suis levée. J'avais l'air d'un loup-garou. Même Félix a sursauté quand il m'a croisée dans le couloir !

J'aimerais tellement qu'on puisse passer la journée ensemble à regarder des mauvais films ! Réponds-moi au plus vite !
Léa xox

Vendredi 3 janvier

11 h 11

Éloi (en ligne): Léa? As-tu deux minutes?

11 h 11

Léa (en ligne): Ça dépend. Si tu me promets de ne pas reparler du jour de l'An, peut-être...

11 h 12

Éloi (en ligne): Je ne peux pas te promettre ça. J'ai besoin de te parler.

11 h 12

Léa (en ligne): De quoi?

11 h 13

Éloi (en ligne): De tout. Je retourne ça dans ma tête depuis deux jours, et j'ai besoin de te parler avant que l'école recommence lundi.

11 h 14

Léa (en ligne): Ne me parle pas d'école. Ça me déprime encore plus. ☹

Éloi (en ligne): Je peux passer chez toi tout à l'heure? Vers 15 h?

Léa (en ligne): OK. Mais attends-toi à avoir peur. Je traîne en pyjama depuis deux jours.

Éloi (en ligne): OK. Je me prépare mentalement.;) À tantôt!

À : Léa_jaime@mail.com
De : Katherinepoupoune@mail.com
Date : Vendredi 3 janvier, 12 h 29
Objet : Besoin de savoir

Salut, Léa !
Je t'écris parce que je ne sais plus vers qui me tourner. Peut-être que je paranoïe, mais je trouve que Félix est super distant depuis quelques jours. On ne s'est pas vus depuis dimanche passé, et c'est à peine s'il me répond quand je l'appelle. Sais-tu s'il s'est produit quelque chose d'anormal au cours des derniers jours ? Est-ce qu'il m'en veut pour quelque chose ? Est-ce qu'il est comme ça avec toi aussi ? Je m'excuse de t'écrire comme ça et de te mêler à notre histoire, mais tu es la seule qui le connaisse bien et je suis en train de devenir folle. J'attends de tes nouvelles...
Luv,
Katherine

P.-S. : Bonne Année ! ♥

À : Léa_jaime@mail.com
De : Marilou33@mail.com
Date : Samedi 4 janvier, 10 h 12
Objet : Alors ?

Alors ? Que s'est-il passé avec Éloi ? Je n'ai pas eu de tes nouvelles depuis qu'on s'est déconnectées avant qu'il arrive. As-tu décidé de parler à Félix à propos de Katherine ? Je te redonne mon avis : ne te mêle surtout pas de leurs affaires ! Je sais que tu veux rassurer Katherine, mais en même temps, tu ne peux pas forcer ton frère à changer d'attitude, ni à mentir à Katherine en la rassurant et en lui disant qu'il est follement amoureux d'elle, surtout si tu commences à avoir des doutes.

Pour ce qui est de mes nouvelles, j'ai finalement décidé d'appeler JP hier soir pour m'excuser. Il ne comprenait pas pourquoi je ne l'avais pas appelé plus tôt. Je lui ai dit que j'avais eu besoin de temps pour décompresser (alors qu'en vérité, j'espérais que LUI m'appelle. Je sais que ce n'est pas logique, mais bon, j'ai quand même fini par marcher sur mon orgueil, alors j'espère que tu es fière de moi).

Il m'a dit que son jour de l'An avait été très moyen, mais j'ai quand même eu droit à deux potins :

1. Laurie a *frenché* un gars (pas JP) ! Je ne sais toujours pas qui c'est, mais j'ai espoir que, si elle

s'amourache de quelqu'un d'autre, elle finira par me pardonner.

2. Je ne savais pas trop si je devais t'en parler, mais comme tu sembles passer à autre chose toi aussi, je préfère que tu l'apprennes de moi : il paraît que Thomas a une nouvelle blonde et qu'elle était là au party. JP n'a pas voulu me dire qui c'est. Il dit que je vais tout te raconter et que ça va lui retomber dessus par la suite.

J'espère que mon deuxième potin ne t'affecte pas trop et que tu ne m'en veux pas de te l'avoir dit. De toute façon, tu as d'autres chats à fouetter en ce moment (Hum, hum ! Éloi ?) Alors ??? Que s'est-il passé ? Donne-moi des nouvelles... VITE !
Lou xox

À : Marilou33@mail.com
De : Léa_jaime@mail.com
Date : Dimanche 5 janvier, 11 h 03
Objet : ♥

LOU !
J'ai tellement de choses à te raconter ! Mais avant de commencer, je voulais parler un peu de tes potins :

1. Je souhaite sincèrement que ça fonctionne entre elle et le gars mystérieux ! Autre résolution de la nouvelle année : moins de drames et de chicanes dans nos vies !

2. Je ne peux pas te dire que ça ne me fait rien. C'est sûr que c'est un choc, mais il fallait s'y attendre. Penses-tu que c'est Sarah Beaupré ? Grrr... J'aimerais bien l'espionner sur Facebook, mais je l'ai enlevé de mes amis (de toute façon, c'est plus sage que je ne l'espionne pas si je veux respecter ma résolution numéro 1 !).

Sur une note plus positive, ma rencontre avec Éloi a très bien été. ♥ Il est arrivé chez moi et on est montés dans ma chambre, et comme ce n'est qu'un ami aux yeux de mes parents, j'ai même pu fermer la porte. ;)

Moi : Éloi, avant que tu commences, je tenais à m'excuser pour la soirée du jour de l'An. J'avais bu trop de mousseux, je me sentais seule, je m'ennuyais de chez moi et je t'ai attaqué sans raison...

Lui : Tu n'oublies pas quelque chose ?

Moi : Ah oui : tu m'excuseras auprès de ton cousin. Il n'a pas dû me trouver particulièrement sympathique.

Lui : Je ne parle pas de mon cousin, Léa ! Je veux plutôt parler de la bombe que tu m'as lancée avant de disparaître. Est-ce que c'est vrai que je t'intéresse ?

Moi (en jouant avec mes cheveux) : Ben... euh... C'est ce que j'ai dit, non ?

Lui : Oui, mais j'avoue que je ne te comprends pas : tu m'as aussi clairement dit dans le passé que tu n'étais pas prête à avoir un chum, que tu étais encore en peine d'amour et que tu fréquentais Alex « pour te changer les idées ».

Moi : Oui. Et c'est tout vrai.

Lui : Alors, quoi ? Es-tu encore en peine d'amour ? Tu aimes encore Thomas ? Je ne comprends pas, Léa. Tu sais ce que je ressens pour toi, alors je veux juste être sûr qu'on est sur la même longueur d'onde avant d'aller plus loin.

Moi : Je ne suis plus « en peine d'amour ». Je n'ai pas vu Thomas depuis presque trois mois, alors c'est sûr que je ne pense plus à lui comme avant. Et je n'aime pas Alex. C'est mon ami. On s'est embrassés quelques fois et on s'est fréquentés pendant genre deux semaines, mais ça ne veut absolument rien dire. Je pense que j'avais juste envie de passer à autre chose.

Lui : Et « l'autre chose », c'est moi ? Léa, es-tu certaine que tu ne réagis pas comme ça simplement parce que tu étais jalouse de me voir avec une autre fille ?

Moi : En fait, c'est la jalousie que j'ai éprouvée en te voyant avec elle qui m'a ouvert les yeux. Je sais que ça paraît confus, mon histoire, mais je t'assure que c'est avec toi que je veux être. Je t'aime plus qu'en ami.

Lui (en souriant) : Moi aussi, je t'aime plus qu'en ami.

Moi : Et Mme Parfaite ?

Lui : Qui ?

Moi : La fille que Félix t'a présentée ?

Lui : Disons que c'était « ma Alex ». Je l'ai fréquentée pour essayer de t'oublier, mais ça n'a pas marché.

Moi (en souriant) : C'est plate...

Éloi m'a interrompue en soulevant mon menton. J'étais super nerveuse ! Il a finalement posé ses lèvres sur les miennes, et c'était magique !

Moi : Et maintenant, on fait quoi ?
Lui : Eh bien, on essaie, non ?
Moi : OK... Ça veut donc dire que je suis ta blonde ?
Lui : Oui, si tu le veux bien...

J'ai répondu en l'embrassant une deuxième fois (j'ai enfin pu réaliser mon scénario de film). Il est parti peu de temps après et je suis restée dans ma chambre avec un gros sourire estampé sur le visage. Je sais que j'aurais dû tout te raconter à ce moment-là, mais on dirait que je n'y croyais pas moi-même ! Est-ce normal que les choses puissent aller si bien ? :)
Alors, voilà ! Pour la première fois *ever*, on a toutes les deux un chum en même temps ! Lol ! Ça rendra la rentrée scolaire de demain un peu moins pénible... même si je m'attends au pire des nunuches !
À demain !
Léa xox

P.-S. : Je n'ai pas eu à intervenir entre Félix et Katherine, puisqu'elle est venue voir un film ici hier soir. Lorsque Félix s'est levé pour aller faire du pop-corn, elle m'a simplement dit qu'il avait fini par la rappeler pour s'excuser de l'avoir ignorée. Ça ne ressemble pas à Félix, je trouve. Je le garde à l'œil !

P.P.-S. : Éloi a déjà changé son statut Facebook de « célibataire » à « en relation » ! Parle-moi d'un gars prêt à s'assumer pour faire changement ! J'ai remarqué que Maude a commenté « J'ai raté quelque chose pendant les vacances ? » Si elle savait...

À : Thomasrapa@mail.com
De : Léa_jaime@mail.com
Date : Dimanche 5 janvier, 16 h 17
Objet : Surprise !

Salut !
Comme tu sais, les nouvelles vont toujours vite dans notre cher petit coin de pays.

Bref, j'ai appris (malgré moi) que tu avais une nouvelle blonde. Je tenais à ce que tu saches que je le savais déjà, et en profiter pour te dire que j'ai moi aussi un nouveau chum. Je sais qu'on avait fait une entente à propos de ça, mais je préférais que tu l'apprennes de moi.

Félicitations (c'est dur, mais ça se veut sincère) !
Léa

À : Léa_jaime@mail.com
De : Marilou33@mail.com
Date : Lundi 6 janvier, 12 h 12
Objet : *OMG!*

Coucou !
Je n'ai que vingt minutes avant mon entraînement de natation, mais je ne pouvais pas attendre à ce soir avant de te transmettre LA nouvelle : ce matin, je suis arrivée nez à nez avec Thomas qui embrassait... Sarah Beaupré ! Tu avais raison ! Elle est vraiment croche, cette fille-là ! Et le peu de respect que j'avais pour Thomas vient de disparaître en fumée ! En tout cas, ça te prouve que tu ne t'es pas trompée en choisissant Éloi (que je vais pouvoir connaître dans 10 jours !). J'ai hâte !

Et ne te laisse pas atteindre par la nouvelle sur Thomas. Je le répète pour la 1001e fois : tu mérites mieux que lui.
Lou xox.

Lundi 6 janvier

17 h 09

Thomas (en ligne): Léa? Est-ce qu'on peut se parler?

17 h 09

Léa (en ligne): Ça tombe bien que tu sois là, parce que je voulais justement t'écrire. Tu peux oublier mon dernier courriel. Maintenant que je sais que tu sors avec SARAH BEAUPRÉ, tu peux te mettre mes félicitations où je pense.

17 h 10

Thomas (en ligne): Léa... Tu ne connais pas l'histoire. Laisse-moi t'expliquer, s'il te plaît.

17 h 10

Léa (en ligne): M'expliquer quoi? Tu n'as rien à m'expliquer! On ne sort plus ensemble, et tu as le droit de faire ce que tu veux, y compris sortir avec mon ennemie jurée. Mais ne viens plus me faire croire qu'il n'y a jamais rien eu entre vous deux.

Thomas (en ligne): Je te jure qu'il ne s'est jamais rien passé jusqu'à tout récemment. Sarah n'était qu'une amie, et là les choses ont évolué un peu... mais ça n'enlève rien à ce que je ressens pour toi. Je sais que tu ne voulais pas savoir, mais on fréquente le même monde et les rumeurs courent vite.

17 h 12

Léa (en ligne): Et dire que j'ai été assez cruche pour m'imaginer que c'est moi qui te rendais de meilleure humeur, alors que pendant ce temps-là tu sortais avec Sarah Beaupré! Je me sens tellement conne.

17 h 12

Thomas (en ligne): Ça me rendait aussi heureux de te ravoir dans ma vie! Et tu as un chum, toi aussi, alors je ne vois pas pourquoi tu t'énerves autant.

Léa (en ligne): Si tu n'es pas capable de voir la différence entre mon histoire et ta trahison, c'est ton problème. C'était niaiseux de m'imaginer qu'on pouvait être amis. C'est encore beaucoup trop frais, et apparemment, on n'a plus rien en commun. Bref, je pense qu'il vaut mieux rompre la communication.

17 h 15

Thomas (en ligne): Léa, tu ne penses pas vraiment ce que tu dis!

17 h 16

Léa (en ligne): Oui, et il n'y a rien de plus à ajouter. Maintenant, j'aurai toujours un doute par rapport à ce qui s'est passé depuis que je suis partie et sur les raisons qui t'ont poussé à me laisser.

17 h 16

Thomas (en ligne): Je ne t'ai jamais trompée, je te jure.

Léa (en ligne): De toute façon, tu as raison: j'ai un nouveau chum, et j'ai vraiment envie que ça marche. Alors, il vaut mieux ne plus se parler.

Léa (hors ligne): Léa est hors ligne. Elle recevra votre message lors de sa prochaine connexion.

À : Marilou33@mail.com
De : Léa_jaime@mail.com
Date : Lundi 6 janvier, 19 h 03
Objet : Une envie de mordre

Salut, Lou !
Commençons par les bonnes nouvelles : Éloi ! C'était génial de se retrouver ce matin ! On s'est rejoints à mon casier et on n'a pas pu s'empêcher de s'embrasser tout de suite. Annie-Claude nous a surpris et nous a félicités en ajoutant « qu'il était temps » ! J'ai aperçu Alex qui parlait avec José. Il m'a fait un clin d'œil entendu et j'ai su qu'il ne m'en voulait pas. Jusque-là, tout allait bien.

Je me dirigeais vers le local de maths quand j'ai vu Maude, Marianne et Sophie qui me regardaient en conspirant. Apparemment, elles avaient fait le lien entre « la blonde Facebook » d'Éloi et moi. En classe, Maude, Lydia et Sophie se sont arrangées pour me rendre la vie impossible en parlant (fort) dans mon dos pour que tout le monde (y compris moi) comprenne. Le prof a fini par intervenir en expulsant Sophie (je crois qu'expulser Maude aurait donné de meilleurs résultats, mais bon). Annie-Claude m'a assuré qu'elles agissaient comme ça par jalousie et pour défendre leur amie Marianne, mais je te jure que ça commence à me peser.

Avant d'aller dîner, j'ai donc décidé d'agir de façon adulte et d'affronter Maude.

Moi : Je peux te parler ?

Elle : Je n'ai rien à te dire.

Moi : Moi oui.

Elle : Quoi ?

Moi : J'aimerais juste savoir pourquoi tu me détestes autant. Je sais qu'on n'a pas besoin d'être les meilleures amies du monde, mais je ne t'ai jamais rien fait, alors j'aimerais comprendre. (J'avoue que je me sentais plus courageuse parce que ses disciples n'étaient pas autour d'elle.)

Elle : Je ne te « déteste » pas, mais je n'aime pas ton comportement. Au début de l'année, j'ai été assez fine pour te proposer de faire des activités avec moi et pour t'offrir de changer ton style, et ta façon de me remercier, c'est de voler tous les chums de mes amies et de prendre ma place au journal.

Moi : Tu sais que je n'ai pas volé le chum de personne. Et pour ce qui est du journal, je ne sais vraiment pas de quoi tu parles.

Elle : J'avais demandé à Éric de faire partie du comité, mais il a refusé en me disant que tous les postes étaient complets. À cause de toi.

Moi : Je ne l'ai jamais su ! Ce n'est pas de ma faute. Je ne savais même pas que tu voulais faire partie du journal !

Elle : Il y a beaucoup de choses que tu ne sais pas à propos de moi, Léa, et l'une d'elles, c'est que je suis une amie super loyale et que je ne me gêne pas pour régler les comptes des filles qui me mettent des bâtons dans les roues.

Moi : Ce n'était pas mon intention de te mettre des bâtons dans les roues. Désolée si je t'ai fait de la peine sans m'en rendre compte, mais là, j'aimerais ça que tu me laisses tranquille.

Et je suis partie. Je regrette un peu de m'être excusée alors que je n'ai rien fait, mais bon, j'en ai vraiment assez d'avoir les nunuches sur le dos. Éloi et Jeanne m'ont assuré que ça allait leur passer, mais ça fait depuis la rentrée qu'on me promet ça et que rien ne change. Disons que je n'ai pas besoin de ça en plus du reste.

«Le reste», c'est la bombe que tu m'as annoncée ce midi. Je n'en reviens toujours pas que Thomas sorte avec Sarah. Je les imagine me jouer dans le dos quand on sortait encore ensemble, et ça me donne mal au cœur. J'essaie tout de même de voir ça du bon côté en me disant que oui, j'ai fait le bon choix. ♥

Je te laisse, car Katherine est sur le point de partir de chez moi et j'aimerais lui parler des nunuches avant son départ. Comme elle a osé me questionner sur mon frère, alors j'ose lui parler de ses amies. Lol !

Je t'écris demain, promis ! Je t'aime !
Léa xox

Le Blogue de Manu

Inscris un titre : Colère

Écris ton problème : Salut, Manu ! Je t'écris pour te parler de quelque chose de délicat. Comme tu le sais déjà, mon ex, Thomas, et moi avions décidé de devenir amis pour rester en contact. Le problème, c'est que je viens d'apprendre qu'il sort avec une fille que je déteste et que je soupçonne d'avoir toujours tripé sur lui. Je ne peux m'empêcher de les imaginer ensemble et de me demander s'ils se fréquentaient déjà à l'époque où Thomas et moi formions un couple. Et s'il m'avait trompée ?

L'autre chose, c'est que j'ai moi aussi un nouveau chum. Il s'agit d'Éloi, mon meilleur ami à Montréal. J'ai hésité longtemps avant d'écouter mon cœur et de lui dire ce que je ressentais, mais je ne regrette rien, parce que je l'aime vraiment. Mon seul petit problème, c'est que je ne sais pas si c'est normal de ressentir autant de colère envers mon ex, alors que je suis en relation avec quelqu'un d'autre.

J'aimerais pouvoir en parler à ma *best* Marilou, mais je ne lui ai jamais dit que j'avais repris contact avec Thomas, et je ne veux pas lui faire

de la peine en lui avouant que je lui ai caché la
vérité.

Merci de ton écoute,
Léa xox

---

*Manu répond à deux questions par semaine. Tu seras
peut-être choisie...*

Chapitre 4
Le calme avant
la tempête

Mercredi 8 janvier

20 h 02

Léa (en ligne): Félix? Peux-tu m'aider avec mon devoir de maths? Je ne comprends rien.

20 h 03

Félix (en ligne): Donne-moi deux minutes. Je finis de clavarder avec Édith.

20 h 03

Léa (en ligne): Il me semble que tu passes beaucoup de temps avec elle dernièrement, non?

20 h 04

Félix (en ligne): Ouais. Elle est vraiment cool, comme fille.

20 h 04

Léa (en ligne): Et Katherine? Ça ne la dérange pas que tu passes autant de temps avec une autre fille?

20 h 05

Félix (en ligne): Je ne sais pas... Je ne pense pas.

20 h 06

Léa (en ligne): Peut-être que j'hallucine, mais il me semble que tu es distant avec elle depuis quelque temps, non?

20 h 06

Félix (en ligne): Je ne vois pas de quoi tu parles.

20 h 08

Léa (en ligne): Ne me prends pas pour une cruche, Félix! Tu ne l'as presque pas vue pendant les vacances de Noël, et quand elle vient ici, je passe plus de temps avec elle que toi. Qu'est-ce qui se passe? Tu ne l'aimes plus?

20 h 09

Félix (en ligne): Ce n'est pas que je ne l'aime plus. C'est juste que je la trouve bébé, des fois. Et j'aime ça passer du temps avec les amis de mon âge.

20 h 10

Léa (en ligne): Ben là! C'est exactement contre ça que je t'avais mis en garde quand tu as commencé à sortir avec elle!

20 h 11

Félix (en ligne): Je sais, mais relaxe! Je n'ai pas dit que j'allais casser, non plus. Je l'aime, Katherine... J'ai juste besoin d'un peu d'espace.

20 h 12

Léa (en ligne): Et ça ne t'a pas traversé l'esprit de lui dire que tu voulais de l'espace? La pauvre Katherine se ronge les sangs parce qu'elle ne sait plus ce qui t'arrive.

20 h 14

Félix (en ligne): Quoi? Elle t'a parlé de moi?

20 h 15

Léa (en ligne): Un peu... Lundi, je lui ai demandé si c'était normal que ses amies me traitent comme si j'étais une substance toxique, et elle en a profité pour me parler un peu de toi.

20 h 16

Félix (en ligne): Et qu'est-ce qu'elle a dit?

Léa (en ligne): Que je n'étais pas la première à tomber entre les griffes de Maude, mais qu'elle était certaine que ça allait finir par lui passer. Il paraît que sa relation avec José l'a beaucoup changée. En tout cas, au moins je peux compter sur Katherine et sur Jeanne pour m'aider à me défendre contre les autres.

20 h 18

Félix (en ligne): Je ne parle pas de tes chicanes de filles, niaiseuse! Je parle de Katherine et moi. Qu'est-ce qu'elle a dit sur moi?

20 h 20

Léa (en ligne): Ah! Il me semblait aussi que c'était bizarre que tu t'intéresses à ma vie.;) Elle m'a juste demandé si je savais pourquoi tu étais distant avec elle. Je lui ai dit que je n'avais rien remarqué, mais que tu traversais peut-être un moment difficile à cause du déménagement...

20 h 21

Félix (en ligne): Rapport! Je suis tellement mieux ici que dans notre trou perdu!

20 h 22

Léa (en ligne): Ben là! De rien, Félix! Je ne suis pas intéressée à me mêler de tes histoires d'amour, tu sauras! J'ai fait ça pour t'aider, mais à l'avenir, essaie donc d'être plus honnête avec elle!

20 h 23

Félix (en ligne): Ouin... OK. Bon, j'arrive!

À : Léa_jaime@mail.com
De : Marilou33@mail.com
Date : Jeudi 9 janvier, 21 h 44
Objet : -40 °C

Il fait tellement froid ! Je ne sais même pas comment on peut survivre à des températures aussi intenses ! Je pense qu'on devrait nous remettre une médaille chaque fois qu'on réussit à traverser un autre hiver.

Alors, est-ce que les nunuches te font encore la vie dure ? Passes-tu de tendres moments avec ton beau Éloi ? Réalises-tu que j'arrive dans exactement UNE semaine et que je vais enfin le rencontrer ? Sans compter qu'on pourra contempler le beau Justin Bieber pendant tout son concert ! JUSSSTTTTTTTTTIIIIIIINNNNNN ! J'ai hâte ! Je compte presque les heures !!

Fait cocasse : j'ai croisé Sarah Beaupré dans un couloir aujourd'hui. Elle m'a fixée pendant un long moment en espérant attirer mon attention, mais je l'ai complètement ignorée. Comme elle ne peut pas tolérer qu'on ne se prosterne pas devant elle, elle s'est tout de suite tournée vers moi pour me défier.

Elle : Tu n'es pas obligée d'avoir l'air bête chaque fois que tu me croises. Je ne t'ai rien fait.
Moi : Je suis gentille seulement avec les gens que je respecte. Et depuis que je sais que Thomas et toi avez

joué dans le dos de ma meilleure amie pendant des mois, je ne tiens pas particulièrement à entretenir des rapports avec toi, ni avec lui d'ailleurs.

Elle : Il ne s'est jamais rien passé entre Thomas et moi pendant qu'il sortait avec Léa, à part l'histoire du *french* pendant le jeu de vérité ou conséquence. Je pense que Thomas l'a assez répété à Léa.

Moi : Thomas disait ça à Léa dans le temps qu'ils sortaient ensemble, mais elle a coupé les ponts avec lui depuis longtemps. D'ailleurs, savais-tu que Thomas avait voulu reprendre avec Léa et qu'elle l'avait complètement ignoré ? J'imagine qu'il s'est donc rabattu sur toi pour essayer de l'oublier. Ça ne te dérange pas d'être le bouche-trou ?

Elle : Il m'aime pour vrai, tu sauras. Tu peux demander à Léa. Elle l'a sûrement lu dans l'un des nombreux courriels que Thomas et elle se sont échangés depuis leur rupture.

Moi : Tu dis n'importe quoi ! Léa n'est pas assez folle pour reprendre contact avec un crosseur qui lui a brisé le cœur. Il y a juste toi qui sois assez niaiseuse pour sortir avec lui. Chaque torchon, sa guenille, comme dit l'expression. En tout cas, bonne chance avec lui !

J'étais tellement fière de ma répartie ! Je sais que c'est un de mes points forts, mais là, je pense que je me suis surpassée ! Peux-tu croire qu'elle ait essayé de me faire avaler que tu écrivais encore à Thomas ?

Comme si je ne connaissais pas assez ma meilleure amie pour savoir qu'elle ne ferait jamais ça !

Grrr ! Mon petit frère ne veut pas dormir et je dois aller lui raconter une histoire !

À demain !
Lou xox

À : Marilou33@mail.com
De : Léa_jaime@mail.com
Date : Vendredi 10 janvier, 22 h 10
Objet : C'est l'hiver !

Je sais que Sarah Beaupré est cinglée. Elle cherche seulement à créer des drames. Merci de m'avoir défendue et bravo pour la répartie. Tu m'impressionnes à chaque fois ! Lol !

C'est vrai qu'il fait froid. Même à Montréal, on gèle ! Heureusement, j'ai passé la soirée avec Éloi qui m'a réchauffée. Je suis allée chez sa mère, qui est super gentille. Elle m'a demandé comment se passait mon intégration et m'a posé plein de questions (pas trop indiscrètes !) sur ma vie.

Éloi et moi avons finalement eu un peu d'intimité quand elle nous a laissés seuls dans le salon. On a «écouté la télé» (traduction : on s'est embrassés pendant deux heures !), et Félix est finalement venu me chercher en allant reconduire Katherine chez elle. Il m'a dit qu'il l'avait rassurée et que les choses étaient en train de s'arranger entre eux. Ça me soulage un peu, parce que je n'ai pas vraiment envie de gérer leur crise de couple en plus du reste.

La bonne nouvelle, c'est que Jeanne m'a dit qu'elle avait parlé à Maude et Marianne pour leur demander de me laisser un peu tranquille, et le reste de la semaine s'est plutôt bien déroulée. Marianne, Lydia, Sophie et Maude m'ignorent complètement, mais je préfère ça à leurs insultes.

La mauvaise nouvelle, c'est que mon professeur d'anglais nous a annoncé qu'on devait préparer un exposé oral individuellement, ce qui veut dire que je ne peux pas compter sur l'aide de Jeanne pour parler ! Je sais qu'elle m'aidera à l'écrire, mais elle ne peut pas prononcer les mots à ma place et j'ai vraiment peur de mourir de honte. Je suis allée voir le prof à la fin du cours pour essayer de le convaincre de me donner une chance, mais sans succès.

Moi : Est-ce que je peux faire l'oral en équipe avec Jeanne ? Ça me motive beaucoup de travailler avec elle, et je ne crois pas que je sois encore prête pour parler en anglais devant toute la classe. C'est à peine si je commence à vous comprendre !

Le prof : Mais je pense que tou es vraiment milleure qu'avant. *You got* 72 % dans ton *exam* de *december*. Tou peux demander à *Jane* de t'aider à l'écrire, mais tou devras lé dire toute seule. *Sorry*.

J'ai au moins marchandé pour passer le plus tard possible. (Le 14 février ! Je me suis dit que j'aurais une récompense après ma présentation puisque je pourrais célébrer la Saint-Valentin avec Éloi !)

Qu'est-ce que tu as prévu en fin de semaine ? De mon côté, je dois *absolument* écrire mon petit article de fiction pour le journal, car je dois le remettre à Éric lundi à la première heure ! Je pense aussi passer beaucoup d'heures à rêver à Éloi ! ❤
Léa xox

P.-S. : Que se passe-t-il avec Laurie ? Sais-tu avec qui elle sort ? Est-ce qu'elle t'ignore toujours autant ?
P.P.-S. : JUSTINNNNNNNNNNNNNNNN !

À : Léa_jaime@mail.com
De : Thomasrapa@mail.com
Date : Samedi 11 janvier, 11 h 01
Objet : Courriel #1

Salut, Léa !
Voici mon premier courriel d'explications. Je compte t'écrire jusqu'à ce que les choses redeviennent « amicales » entre nous. Tu ne peux pas savoir à quel point ça me fait du bien de t'écrire et d'avoir de tes nouvelles, et je refuse que ça se termine comme ça.

Je sais que je t'ai fait de la peine en cassant. Je t'ai déjà dit que c'était réciproque et que ça n'a pas été facile pour moi non plus. Je ne t'ai jamais menti à propos de cela, ni à propos de Sarah.

Quand je t'ai écrit vers la fin du mois de novembre pour te dire que tu me manquais, je le pensais vraiment. Je sais que notre relation était devenue impossible, mais j'étais quand même prêt à n'importe quoi pour te ravoir dans ma vie. Mais tu ne m'as jamais répondu. Pendant les semaines qui ont suivi, j'ai passé beaucoup de temps avec Sarah qui venait de casser avec son chum. J'étais conscient qu'elle avait un *kick* sur moi depuis longtemps, mais je n'ai jamais répondu à ses avances durant tout le temps que nous avons été ensemble. C'est seulement au cours de ces deux longues semaines qu'on s'est embrassés...

Toi et moi avons ensuite décidé de devenir amis. Même si ça me rendait heureux de reprendre contact avec toi, j'avoue que j'aurais peut-être voulu plus... mais il était trop tard, et il fallait que j'accepte que ça n'irait pas plus loin. Sarah était là pour moi et les choses ont évolué un peu. Comme tu m'as demandé de ne pas faire mention des filles que je fréquentais et que je me doutais que tu allais réagir comme ça en sachant que c'était Sarah, j'ai préféré me taire. Je n'avais malheureusement pas pensé au fait que j'habite dans un trou et que les nouvelles vont vite. Maintenant, je m'en veux, parce que je me dis que j'aurais dû être honnête avec toi et t'avouer qu'il s'était passé quelque chose entre Sarah et moi. J'aurais dû t'avouer comment je me sentais.

Je comprends que tu m'en veuilles, mais saches que je t'ai vraiment aimée, et que je t'aime encore beaucoup. Mon histoire avec Sarah n'enlève absolument rien à la nôtre.

J'espère que tu me répondras.
Thomas

P.-S. : Ça m'a aussi donné un choc d'apprendre que tu avais un chum. Je ne peux m'empêcher d'être jaloux quand je pense à lui.

À : Thomasrapa@mail.com
De : Léa_jaime@mail.com
Date : Dimanche 12 janvier, 09 h 40
Objet : Re : Courriel #1

Tu diras à ta blonde de se fermer la trappe. Elle a dit à Marilou qu'on avait repris contact. Heureusement, Lou n'a pas cru un mot de ce que Sarah lui a raconté parce qu'elle sait à quel point elle est folle, mais quand même. J'ai dû lui mentir, et je me sens *full* mal.

Si je relis tes courriels, il ne me semble pas retrouver aucune phrase qui dise : « Je veux reprendre avec toi ! ». Tout ce que tu as dit, c'est que je te manquais. Après ce que tu m'as fait vivre, j'espérais un peu plus comme déclaration. Si tu voulais plus, tu n'avais qu'à me le dire clairement.

Les courriels #2, #3 et #4 ne seront pas nécessaires, puisque je ne changerai pas d'avis. Je ne veux plus qu'on se parle.

Même si tu ne veux pas le savoir, je suis très heureuse en ce moment avec mon chum et je n'ai pas envie de gâcher ça.
Léa

À : Annieclaudebordeleau@mail.com
De : Léa_jaime@mail.com
Date : Dimanche 12 janvier, 11 h 53
Objet : Mon article
1 pièce jointe : La princesse et les trois lutins

Coucou, Annie-Claude !
Je sais que tu travailles toi aussi sur ton article pour le journal, mais je voulais t'envoyer la petite histoire qu'Éric m'a demandé d'écrire pour la section littérature du numéro de janvier ! J'aimerais vraiment avoir ton avis avant de la lui envoyer. Je te trouve super bonne, alors ne te gêne pas pour être honnête avec moi !

Pièce jointe :

La princesse et les trois lutins

Il était une fois une princesse qui vivait dans un grand royaume où les apparences étaient souvent trompeuses.

Comme elle était nouvelle dans le royaume, elle se sentait étrangère et n'arrivait pas toujours à comprendre les gens de son entourage qui parlaient un langage plutôt bizarre.

Puis vint l'heure de choisir un prince charmant. Comme la princesse ne savait pas vers qui se tourner, elle demanda à une fée de l'aider à y voir plus clair et à faire le bon choix.

« *Je t'aiderai en te présentant trois gentils lutins, lui dit la fée. Le lutin qui se transformera en prince sera celui qui te rendra heureuse jusqu'à la fin des temps !* »

La princesse suivit la fée jusqu'à la montagne enchantée pour faire la connaissance de ses trois prétendants.

Elle rencontra d'abord un petit lutin très blagueur. Celui-ci était mignon et très rigolo, mais il n'avait pas vraiment envie de vivre dans un grand château et semblait réticent à quitter ses amis. La princesse dut se résoudre à lui dire adieu.

Le deuxième lutin était très attirant, et la princesse tomba vite sous son charme ! Ils passèrent la journée ensemble dans le royaume enchanté, puis elle lui demanda enfin s'il avait envie de passer sa vie avec elle. Le lutin lui répondit toutefois qu'il avait peur de s'engager. « Je te trouve jolie et charmante, mais je ne crois pas pouvoir te rendre heureuse », expliqua-t-il à la princesse.

La princesse eut beaucoup de chagrin, mais la gentille fée la consola et lui redonna espoir en lui répétant qu'il lui restait un lutin à rencontrer. La jolie princesse accepta donc de faire la connaissance de son troisième et dernier prétendant. Dès qu'elle l'aperçut, elle sentit une sorte de déclic. Ils passèrent le reste de la journée à se balader et à discuter de tout et de rien. Il avait le don de la faire rire et de lui faire comprendre qu'elle pourrait toujours compter sur lui et lui faire confiance. La princesse embrassa enfin ce lutin qui se transforma aussitôt en prince charmant.

Le prince et la princesse décidèrent ensuite de s'installer à la campagne, où ils vécurent très heureux loin des jugements et des rumeurs du royaume.
Fin

À : Léa_jaime@mail.com
De : Annieclaudebordeleau@mail.com
Date : Dimanche 12 janvier, 16 h 02
Objet : Re : Mon article

Salut, Léa !
Fidèle à ton habitude, tu as su me faire rire avec ton histoire... disons que j'arrive à voir le parallèle avec les lutins qui font partie de ta vie. Lol ! Je pense que c'est parfait comme intro pour la section et qu'Éric va être très content de ton travail.

Je viens moi aussi de terminer mon article pour le prochain numéro. :) Maintenant, je peux enfin me relaxer et m'étendre devant la télé !

On se voit demain !
Annie-Claude

À : Léa_jaime@mail.com
De : Marilou33@mail.com
Date : Lundi 13 janvier, 19 h 44
Objet : Je suis crevée !

Coucou !
Ça tombe bien que tu me parles de Laurie. La semaine dernière, je n'ai noté aucun changement dans son attitude et elle était toujours aussi froide avec moi. :(

Mais ce midi, je l'ai vue avec son nouveau chum. C'est un gars de secondaire 2, alors on ne le connaît pas, mais il a l'air super gentil. Ça m'étonne un peu qu'elle sorte avec un gars plus jeune, mais l'important, c'est qu'il la rende heureuse et qu'il lui permette d'oublier JP et notre chicane.

Cet après-midi, j'ai posé une question au prof de maths (je voulais savoir à quelle page se trouvait la solution à un problème), et, pendant qu'il fouillait dans le manuel pour trouver la page, Laurie s'est tournée vers moi et m'a soufflé la réponse.

Je sais que ce n'est pas grand-chose, mais je persiste à croire que c'est un pas significatif par rapport aux dernières semaines. Après tout, elle m'a directement adressé la parole. :)

Pour ce qui est de Sarah, je savais bien qu'elle était folle ! D'ailleurs, j'ai croisé Thomas ce midi dans la file de la cafétéria et je ne me suis pas gênée pour lui envoyer un regard assassin ! Il m'a répondu avec un air piteux, mais tu peux être certaine que ça n'a eu aucun effet sur moi. Surtout que je m'apprête à rencontrer le fameux Éloi !

J'ai revérifié auprès de mes profs et de mes parents, et c'est officiel : je peux partir jeudi ! Youpi ! Seulement trois jours et on sera ensemble ! Je vais arriver au Terminus Voyageur de la station Berri-UQAM vers 18 h. Crois-tu que je peux venir te rejoindre à l'école vendredi ? Je veux voir les nunuches de mes propres yeux. Je te promets de ne pas te faire honte et de m'habiller de la façon la moins campagnarde possible ! Lol !

Je vais prendre un long bain avant de me coucher. J'ai nagé pendant plus d'une heure et je suis complètement claquée.

J'ai hâte à jeudi ! ❤
Lou xox

À : Marilou33@mail.com
De : Léa_jaime@mail.com
Date : Mardi 14 janvier, 12 h 22
Objet : Deux jours !

Coucou !
Je t'écris un petit mot du local d'informatique. Éloi et moi nous sommes réfugiés ici pendant l'heure du dîner. Tous les articles sont partis en impression hier soir, alors nous avons le local à nous seuls ! ;)

Ouiiiiii ! Je veux que tu viennes à l'école vendredi ! Le plus simple, c'est que tu me rejoignes à midi et que tu m'accompagnes aux cours de l'après-midi. J'ai déjà demandé aux profs, et ils m'ont dit qu'ils n'avaient aucune objection à ce que tu viennes.

Je viendrai te chercher au terminus avec Félix jeudi à 18 h. On soupera chez nous, et vendredi après l'école, on pourra faire quelque chose avec Éloi pour que tu apprennes à mieux le connaître. Samedi : magasinage et Justin Bieber. On ne peut pas demander mieux ! Lol !

Je te laisse : il y a un certain Éloi qui me déconcentre ! J'ai hâte aussi !
Léa ❤

Mercredi 15 janvier

19 h 01

Katherine (en ligne): Salut! Est-ce que je te dérange?

19 h 02

Léa (en ligne): Non! Je faisais mes devoirs.:S Comment ça va?

19 h 02

Katherine (en ligne): Bof. Je trouve que Félix agit encore bizarrement avec moi.

19 h 02

Léa (en ligne): C'est plate, ça. Je pensais que ça s'était arrangé entre vous.

19 h 03

Katherine (en ligne): Moi aussi, mais là il vient de m'appeler pour annuler notre soirée en amoureux de vendredi.:'(Il dit que c'est la fête de je-sais-pas-qui, et qu'il doit vraiment y aller, mais il ne m'a même pas invitée.

Léa (en ligne): Oh.:(J'avais prévu passer la soirée avec Éloi et Marilou, ma meilleure amie qui vient me visiter. Veux-tu te joindre à nous?

19 h 05

Katherine (en ligne): Je ne veux pas m'imposer...

19 h 05

Léa (en ligne): Ben non, voyons! Ça va te changer les idées! Cette idée, aussi, de sortir avec mon frère.:S

19 h 06

Katherine (en ligne): Je l'aime tellement, Léa. Je n'ai jamais ressenti ça avant.

19 h 06

Léa (en ligne): Je comprends. Mais ne le prends pas trop personnel s'il ne t'invite pas à son party. C'est peut-être juste parce que vous ne fréquentez pas la même gang et qu'il a peur que tu t'ennuies.

19 h 07

Katherine (en ligne): Peut-être... Je ne sais pas. Félix n'exprime pas vraiment ses sentiments, alors c'est dur à dire. Mais j'avoue que j'ai envie d'accepter ton invitation. J'aime mieux ça que me morfondre chez moi ou aller au cinéma avec Maude et José.

19 h 07

Léa (en ligne): Lol! ;)

19 h 07

Katherine (en ligne): D'ailleurs, comment ça va avec Maude et Marianne? Est-ce qu'elles se sont calmées?

19 h 08

Léa (en ligne): Ouais... Elles ont décidé de m'ignorer, ce qui me permet de respirer un peu.

Katherine (en ligne): Cool! Je suis bien placée pour savoir qu'elles peuvent être vraiment méchantes quand elles veulent. ☹ En tout cas, merci pour tout, Léa. Et n'hésite pas à me le dire si jamais tu entends quelque chose à propos de Félix... Surtout si ça peut m'aider à mieux le comprendre.

19 h 09

Léa (en ligne): Promis. À demain. xox

À : Léa_jaime@mail.com
De : Éloi2011@mail.com
Date : Jeudi 16 janvier, 23 h 20
Objet : Bonne nuit !

Coucou !
J'espère que les retrouvailles avec Marilou se sont bien déroulées. Tu lui diras que j'ai super hâte de la connaître !

En tout cas, tu m'as manquée ce soir. C'est bizarre de ne pas te parler au téléphone pendant des heures comme d'habitude. Au moins, ton frère ne pourra pas chialer que tu occupes la ligne ! Lol !

J'ai fini mes devoirs et je m'en vais me coucher. Je voulais juste te souhaiter bonne nuit et te dire que je t'aime ! ❤
Éloi

P.-S. : Je sais qu'ils annoncent froid, mais demain après l'école, on pourrait peut-être aller se promener dans le Vieux-Montréal et prendre un chocolat chaud ? C'est beau en hiver et c'est tellement romantique !

À : Éloi2011@mail.com
De : Léa_jaime@mail.com
Date : Vendredi 17 janvier, 06 h 52
Objet : Bon matin !

Coucou !
Je suis tellement énervée que je suis debout depuis
6 h 30 ! Marilou dort encore, alors je voulais en profiter
pour te faire un petit coucou avant l'école. :)

C'était super, hier soir. Lou et moi avons passé toute
la soirée (et une partie de la nuit) à discuter de tout et
de rien. Je réalise à quel point elle me manque quand
elle n'est pas là. La vérité, c'est que je n'ai pas encore
de VRAIE amie ici... J'avais un meilleur ami, mais
maintenant, je sors avec lui ! Lol !

C'est une bonne idée le Vieux-Montréal ! J'avais
oublié de te le dire, mais Katherine viendra aussi
avec nous. Je sais que c'est aussi ton ex, alors
j'espère que ce n'est pas trop bizarre. Félix l'a
laissée tomber et je lui ai proposé de se joindre à
nous pour se changer les idées. Si seulement tu te
tenais encore avec Félix, tu pourrais me donner
plus de détails sur son attitude. Je trouve qu'il ne
la traite pas *full* bien depuis quelques semaines. En
tout cas, c'est une histoire à suivre...

Je te laisse! Je dois aller me doucher avant que mon frère se réveille et qu'on s'engueule pour savoir qui y va en premier.

À tantôt!
Je t'aime!
Léa xox

À : Annieclaudebordeleau@mail.com
De : Léa_jaime@mail.com
Date : Samedi 18 janvier, 12 h 57
Objet : JUSTIN BIEBER!!!

Salut, Annie-Claude!
Ça va? Moi, super! J'ai passé la soirée d'hier avec Éloi, Katherine et mon amie Marilou et on a eu beaucoup de fun!

Comme tu me dis toujours que je suis avare de potins, j'en ai deux pour toi :
1. Katherine m'a dit que José avait trompé Maude pendant les vacances de Noël, mais qu'elle ne le sait pas!
2. Katherine a aussi peur que mon frère lui joue dans le dos parce qu'il est *full* distant avec elle depuis quelque temps.

Pas pire, hein ? On s'en reparlera ce soir !

Et parlant de ce soir… As-tu hâte ? On va voir Justin en chair et en os ! Moi, je suis tellement excitée qu'Éloi commence à être jaloux. Lol !

J'ai essayé d'appeler chez toi, mais il n'y a pas de réponse. Tu veux toujours qu'on se rejoigne devant le Centre Bell à 18 h ?

J'attends de tes nouvelles !
Léa xox

À : Léa_jaime@mail.com
De : Katherinepoupoune@mail.com
Date : Samedi 18 janvier, 15 h 55
Objet : Bon spectacle !

Salut, Léa !
Je voulais t'écrire un petit mot pour vous remercier encore de m'avoir invitée hier soir. C'était vraiment cool et je trouve ton amie Marilou super gentille ! C'est dommage qu'elle habite aussi loin, parce que je pense qu'elle aurait vraiment sa place, ici !

D'ailleurs, elle n'est pas passée inaperçue à l'école. Maude m'a appelée ce matin pour avoir plus de détails sur « la fille qui parle fort et qui l'a regardée d'un air menaçant pendant tout le cours de maths ». Lol ! Je te fais un résumé de notre conversation :

Elle : C'est qui, la *best* de Léa ? Elle a l'air vraiment agressive. Elle ne vient pas à notre école, j'espère ?

Moi : Non, c'est son amie qui est venue la visiter pour la fin de semaine. J'ai passé la soirée d'hier avec elle et Léa et je la trouve vraiment gentille.

Elle : Ben, là ! Elle m'a dévisagée pendant tout l'après-midi, alors ne viens pas me dire qu'elle est gentille. En plus, José la trouve *cute*, alors il est temps qu'elle parte. Et comment ça, tu as passé la soirée avec Léa ? Me semble que tu aurais pu m'appeler ?

Moi : Désolée... Elle me l'a offert en premier (j'ai menti, lol !). Mais je t'assure que Marilou est gentille.

Elle : C'est qui, Marilyn ?

Moi : Marilou ! C'est l'amie de Léa.

Elle : Eh bien moi, je trouve qu'elle prend trop de place. Alors, qu'elle retourne dans son village perdu. Bon débarras !

Ne sois pas offusquée par ce qu'elle dit : quand elle réagit avec autant de vigueur, c'est qu'elle est jalouse. C'est vrai que Marilou déplace de l'air ! Sophie m'a même raconté qu'elle participait en classe comme si elle était une élève ! En tout cas, tu lui diras que je l'ai beaucoup aimée !

Je vous souhaite un beau spectacle à toutes les deux !
Vive Justin !!!
Luv,
Katherine

À : Katherinepoupoune@mail.com
De : Léa_jaime@mail.com
Date : Samedi 18 janvier, 16 h 09
Objet : Re : Bon spectacle !

Salut !

Merci beaucoup pour ton courriel. Je l'ai fait lire à Marilou et on se bidonne depuis tantôt en repensant à hier ! La vérité, c'est que Marilou s'était donnée comme défi d'être mon garde du corps et de décontenancer Maude, Lydia, Sophie et Marianne. C'est génial que ça ait fonctionné ! Je sais qu'elle n'est pas passée inaperçue ! Il y a même un gars de secondaire 4 (que je ne connais absolument pas) qui m'a écrit sur Facebook pour me demander si la fille qui était à l'école avec moi vendredi était vraiment une actrice de télé ! Lol ! Comme quoi ça vaut la peine d'avoir de l'assurance et de prendre sa place !

On est vraiment excitées pour le concert ! On a même réussi à fabriquer de grosses banderoles dans l'espoir

que Justin nous remarque ! Je te raconterai tout dans les moindres détails !
Léa xox

À : Éloi2011@mail.com
De : Léa_jaime@mail.com
Date : Samedi 18 janvier, 23 h 55
Objet : J'aime Justin !

Salut, toi !
Est-ce que mon titre de courriel te rend jaloux ? ;)
Le spectacle était INCROYABLE et Justin Bieber est encore plus beau en vrai que sur photo ! Les banderoles que j'avais préparées avec Marilou se sont déchirées au vent, mais maintenant que tu la connais, tu sais que ce n'est pas le genre de choses qui l'arrêtent. Après le concert, elle nous a donc convaincues d'aller attendre Justin à l'extérieur du Centre Bell. Comme il faisait froid et qu'une centaine de filles avaient eu la même idée que nous, je me disais qu'on n'avait aucune chance, mais un de ses gardes du corps qui surveillait la porte arrière a tellement eu pitié des admiratrices qui grelottaient dehors qu'il nous a toutes offert une photo cartonnée et autographiée de Justin ! Je sais que ce n'est pas comme si je l'avais vu de proche en chair et en os, mais j'ai quand même un petit carton avec sa VRAIE écriture dessus ! OOOOOOOH ! JUSTIN !!! Ne sois pas

trop jaloux : il paraît qu'il fréquente encore Selena, alors je n'ai pas beaucoup de chances !

Sans blague, on s'est amusées comme des folles ! On a rejoint Annie-Claude et sa sœur avant le début du spectacle et on s'est bourrées de nachos. Lou et Annie-Claude se sont super bien entendues (il faut croire que Lou s'entend bien avec tout le monde, sauf les nunuches).

Je suis tellement heureuse en ce moment. J'ai l'impression que ma vie est... complète ! J'aimerais que cette fin de semaine ne se termine jamais. :)

Je te raconte tout ça de vive voix demain. Mes parents et moi allons reconduire Marilou au terminus vers 13 h, et je te fais signe dès que je rentre à la maison.
Je t'aime !
Léa xox

À : Léa_jaime@mail.com
De : Thomasrapa@mail.com
Date : Dimanche 19 janvier, 12 h 21
Objet : Courriel #2

Salut, Léa !
Désolé pour Sarah. Je ne savais pas qu'elle avait dit à Marilou qu'on avait repris contact avant que tout ça éclate. Je lui ai répété de tenir ça mort, ce qui a

engendré une grosse chicane entre nous deux. Je pense qu'elle sent que j'ai encore des sentiments pour toi et qu'elle a de la misère à l'accepter. Bref, je ne lui ai pas parlé depuis deux jours. En plus de t'avoir perdue, je sens que je suis en train de la perdre, elle aussi. Je sais que tu n'auras aucune pitié, mais disons que ça ne file pas fort en ce moment.

Je suis content que tu sois heureuse. C'est important pour moi. J'espère que ce gars-là connaît sa chance.

Je vais respecter ce que tu m'as demandé et je vais te laisser ton espace. Je m'excuse pour tout, Léa. Encore une fois. :(

J'espère que quand tu seras prête, tu pourras me redonner des nouvelles. D'ici là, sache que je ne t'oublie pas.

Thomas

À : Stephjolie@mail.com
De : Marilou33@mail.com
Date : Dimanche 19 janvier, 12 h 50
Objet : *OMG!*

Allo, Steph !
Je capote ! Je t'écris rapidement de chez Léa. J'allais écrire à mes parents pour leur dire à quelle heure venir

me chercher au terminus, mais la boîte de courriels de Léa était ouverte et j'ai vu qu'elle venait de recevoir un message de Thomas. J'ai aussi vu dans sa boîte de réception qu'il lui avait écrit à plusieurs reprises depuis un mois, alors que lorsque je l'avais interrogée à propos de ça, elle m'avait assuré qu'elle n'avait pas repris contact avec lui depuis le mois de novembre.

Je n'ai pu m'empêcher de lire son courriel et je me suis rendu compte qu'elle m'avait menti. Je suis complètement troublée et je ne sais pas comment réagir. Elle m'attend déjà en bas avec sa mère pour m'emmener au terminus, alors je me vois mal éclater en sanglots ou faire une crise devant toute sa famille, mais je suis vraiment en colère contre elle. Je n'en reviens pas qu'elle m'ait caché quelque chose d'aussi important. Dire que pendant tout ce temps-là, je la défendais comme une cruche dès que Sarah Beaupré l'attaquait.

Je dois y aller. La route va être longue. :(
J'ai hâte de te voir et de te raconter tout ça de vive voix...

Lou xxx

À : Marilou33@mail.com
De : Léa_jaime@mail.com
Date : Dimanche 19 janvier, 19 h 22
Objet : Bien rentrée ?

Salut !
Es-tu bien rentrée ? Le voyage s'est bien passé ?
Tu avais l'air tout à l'envers quand on est allés te
reconduire, et c'est à peine si tu m'as regardée en me
disant au revoir. :(

Est-ce que c'est parce que tu avais de la peine ?
Te sentais-tu encore coupable d'avoir rêvé que tu
embrassais Justin ? Tu n'as pas besoin de le raconter
à JP, après tout ! J'aurais aimé ça qu'on soit seules
pour pouvoir pleurer toutes les larmes de notre corps
sans retenue !

Comme je disais à Éloi au téléphone, j'ai l'impression
que mon âme sœur (toi) vient de me quitter. :(Tu me
manques énormément.
Léa

P.-S. : Merci encore pour la super fin de semaine.
T'es gentille d'être venue jusqu'ici. J'espère que
Justin et moi en avons valu la peine. ;) (En fait, je n'ai
aucun doute sur Justin.) Et merci d'avoir repoussé
les nunuches. Tu as plus de courage que moi !

P.P.-S. : Réponds-moi vite ! Je n'aime pas du tout te voir dans cet état-là ! Même mon père qui est généralement dans la lune m'a demandé si tu étais fâchée !

À : Léa_jaime@mail.com
De : Marilou33@mail.com
Date : Lundi 20 janvier, 20 h 40
Objet : Trahison

Salut, Léa !
Ton père n'avait pas tort. Juste avant de partir, je suis tombée sur un courriel que Thomas t'avait envoyé. J'ai coché « marquer comme non lu » parce que sur le coup, je ne savais pas quoi faire et je me sentais un peu mal d'avoir fouillé dans tes courriels. Mais plus le temps passe, et plus la colère domine et plus je me fiche que tu l'apprennes. Bref, j'ai lu ce qu'il t'avait écrit, et j'ai découvert tes petites cachotteries. Le fait que tu deviennes « amie » avec Thomas me dépasse complètement (es-tu vraiment si naïve ?), mais ce qui me blesse par-dessus tout, c'est que tu aies senti la nécessité de me le cacher et de me mentir quand je t'ai raconté mon altercation avec Sarah. Je croyais que notre amitié était plus forte que ça. Je t'ai toujours tout dit (y compris l'amour fou que je ressentais pour ton frère) et je n'arrive pas à croire que tu me caches quelque chose d'aussi important.

Pour ce qui est de ton « amitié » avec lui (qui n'a pas fonctionné, de toute évidence), je pense que c'est complètement malsain de garder contact avec Thomas, surtout après ce qu'il t'a fait vivre. Je ne comprends pas comment tu peux être « amie » avec quelqu'un qui t'a fait souffrir autant, surtout si tu l'aimes encore (tu as beau le nier, je pense que le fait que tu lui parles encore et que tu me le caches prouve le contraire). Je trouve aussi que ton attitude est malhonnête envers Éloi, que j'aime beaucoup et qui semble amoureux fou de toi. Je ne doute pas que tu sois attachée à lui, mais selon moi (une fille qui te connaît quand même assez bien), tu éprouves encore quelque chose pour Thomas.

J'aurais voulu te parler de tout ça hier, mais je ne voulais surtout pas éclater devant tes parents, ni dire des choses qui dépassent ma pensée.

Bref, je vois ça comme une trahison, et ça me blesse énormément. Je croyais que notre amitié était la seule relation durable et inconditionnelle sur laquelle je pouvais toujours compter, mais je vois que j'avais tort.
Marilou

À : Marilou33@mail.com
De : Léa_jaime@mail.com
Date : Lundi 20 janvier, 22 h 22
Objet : Pardonne-moi

Salut, Lou !
J'ai essayé de t'appeler quatre fois, mais sans succès, et évidemment, tu n'es pas en ligne. Si j'avais su que tu allais tomber sur un courriel de Thomas, je t'aurais tout expliqué de vive voix pendant que tu étais ici.

Je suis sincèrement, tellement, vraiment désolée de t'avoir menti. Ça me chatouillait depuis le départ et je regrette de te l'avoir caché.

Je sais que tu m'en veux beaucoup, mais j'espère que, quand tu liras ce courriel, ça t'aidera à comprendre. Quand Thomas m'a envoyé le premier courriel (celui dont je t'avais parlé), ça m'a vraiment mise à l'envers. Je me sentais de retour à la case départ. La vérité, c'est que je savais qu'il y avait un sens caché à son message, mais qu'il n'oserait jamais me dire clairement qu'il voulait reprendre avec moi. Ça m'a replongée dans ma peine d'amour, et j'ai opté pour la facilité, c'est-à-dire reprendre contact avec lui, plutôt que de le sortir complètement de ma vie. Je sais qu'il m'a fait de la peine, et je sais que tu ne le portes pas dans ton cœur. C'est justement pour ça que je ne te l'ai pas dit. Je savais que tu allais me dire que ce n'était pas une bonne idée, et en fin de compte, on aurait dit que je ne voulais pas voir la réalité en face... Si tu te souviens bien, j'étais dans ma phase de « déni » à l'époque. Je n'étais pas prête à lui dire complètement adieu. Notre correspondance a à peine duré quelques semaines et je le regrette aujourd'hui (surtout après avoir appris qu'il sortait avec Sarah Beaupré). Tu avais raison sur toute la ligne, encore une fois.

Je m'excuse de ne pas te l'avoir dit, mais j'espère que tu me comprends un peu. Je sais que c'est inexcusable de t'avoir menti quand tu m'as raconté ce que Sarah t'avait dit, mais je sentais qu'il était trop tard. Je voulais simplement rayer Thomas, Sarah et tous leurs drames de ma vie.

Pour ce qui est de Thomas, je ne sais pas ce que je ressens envers lui. Un mélange d'amour, de haine, de colère, de tristesse et de nostalgie. Imagine si ça t'arrivait avec JP... Je sais que ce n'est pas honnête envers Éloi, et c'est aussi pour cette raison que j'ai coupé les ponts. Si tu as lu son dernier courriel, tu as d'ailleurs dû t'en rendre compte.

Je sais que tu as de la peine, que tu te sens trahie et que tu ne comprends peut-être pas comment j'ai fait pour te cacher une telle chose, mais dis-toi que tu es tellement importante pour moi qu'en te le cachant, c'est un peu comme si je me le cachais à moi-même.

J'espère que tu sauras me pardonner, car je ne sais pas ce que je ferais sans ton amitié. Je t'aime plus que tout au monde et je m'excuse encore, pour la centième fois. :(
Léa xox

À : Léa_jaime@mail.com
De : Katherinepoupoune@mail.com
Date : Mardi 21 janvier, 19 h 51
Objet : À l'aide !

Léa !
Où es-tu ? Pourquoi tu n'es pas en ligne ? Ton frère vient de casser avec moi et je suis complètement désespérée. Il ne m'a pas donné d'explications. Sais-tu s'il me cache quelque chose ?
Luv,
Katherine

Chapitre 5
Poutine italienne

Inscris un titre : Tout va mal

Écris ton problème : Cher Manu, ma *best* Marilou s'est rendu compte que je lui avais caché que j'avais repris contact avec mon ex. J'ai peur d'avoir ruiné notre amitié. J'ai essayé de l'appeler environ cinquante fois et je lui ai écrit un long courriel, mais il n'y a rien à faire. Que dois-je faire pour qu'elle me pardonne et pour qu'elle comprenne que j'ai simplement réagi comme ça parce que j'avais peur qu'elle me juge ? Je tiens à elle plus que tout au monde et je ne veux vraiment pas la perdre. :(

En plus, je ne peux pas dire la vérité à mon chum étant donné que ça concerne mon ex et qu'il risque de se sentir trahi, lui aussi. Si Éloi se rend compte que j'ai menti à Marilou à propos de Thomas, il ne s'en remettra pas et se sentira trahi, comme Laurie à cause de JP et Marilou. Tu me suis ?

Comme un malheur ne vient jamais seul, mon grand frère Félix a choisi la même semaine pour casser avec sa blonde. Je m'entends bien avec elle, mais elle est amie avec les nunuches qui me détestent, et si elle en veut à mon frère, j'ai peur qu'elle m'en veuille aussi (après tout, on partage le même nom de famille et les mêmes gènes). Katherine pourrait s'unir aux nunuches pour me haïr.

Aide-moi ! Tu es mon seul allié !
Léa xox

Manu répond à deux questions par semaine. Tu seras peut-être choisie...

Mardi 21 janvier

21 h 01

Léa (en ligne): Baisse ta musique et sors de ta chambre!

21 h 02

Félix (en ligne): Euh, non merci. Je n'ai pas envie d'entendre tes reproches.

21 h 02

Léa (en ligne): Félix! C'est de TA faute si Katherine est triste, et là, elle me demande des explications! C'est vraiment injuste! Pourquoi tu as cassé?

21 h 03

Félix (en ligne): Parce que ça ne marchait plus. J'ai vraiment essayé, Léa, mais tu avais raison. Elle est trop jeune pour moi.

21 h 03

Léa (en ligne): Mais pourquoi tu ne lui as pas donné d'explications?

Félix (en ligne): Parce que je ne suis pas capable de mentir aux gens et que je ne voulais pas lui faire de peine pour rien.

21 h 04

Léa (en ligne): Ben là! Tu aurais pu lui dire que ça ne marchait plus. Ce n'est pas compliqué et ce n'est pas un mensonge.

21 h 05

Félix (en ligne): Non, mais ce n'est pas toute la vérité.

21 h 05

Léa (en ligne): Qu'est-ce que tu veux dire?

21 h 05

Félix (en ligne): Si je t'en parle, j'ai peur que tu me frappes violemment et que tu gâches mon physique d'Adonis...

21 h 06

Léa (en ligne): FÉLIX! Ce n'est pas drôle! Dis-moi la vérité!

21 h 06

Félix (en ligne): OK, mais ne capote pas.

21 h 06

Léa (en ligne): DIS-MOI LA VÉRITÉ!

21 h 07

Félix (en ligne): J'ai embrassé une autre fille vendredi.

21 h 08

Léa (en ligne): QUOI? TU ME NIAISES! Tu veux dire que non seulement tu l'as laissée tomber pour aller dans un party avec tes amis sans l'inviter, mais qu'en plus tu en as profité pour lui jouer dans le dos et embrasser une autre fille?

21 h 10

Félix (en ligne): Oui, mais pour ma défense, c'est la fille qui m'a embrassé. Et j'ai cassé avec Katherine dès que je l'ai revue. Je sais que tu ne me portes pas dans ton cœur en ce moment, mais tu sais que je ne suis pas du genre à tromper mes blondes. Quand ça arrive, c'est signe que quelque chose cloche. C'est pour ça que j'ai fini la relation sans trop lui donner d'explications.

Léa (en ligne): Effectivement, je ne te porte pas dans mon cœur en ce moment. Maintenant, c'est moi qui vais être prise pour lui mentir et lui dire que tout ce que tu m'as dit, c'est que ça ne marchait plus.

21 h 12

Félix (en ligne): Mais c'est toi qui t'es obstinée pour savoir la vérité!

21 h 12

Léa (en ligne): Très drôle. Merci beaucoup, Félix. C'est exactement ce qui manquait dans ma vie: un scandale! *BYE*!

À : Marilou33@mail.com
De : Léa_jaime@mail.com
Date : Jeudi 23 janvier, 12 h 30
Objet : De mal en pis ☹

Salut, Lou !

Aucune nouvelle de toi depuis ton dernier courriel, et toujours aucune réponse chez toi. Ta mère m'a dit par trois fois que tu étais à la piscine, mais j'ai de la misère à la croire. J'imagine que tu ne veux vraiment pas me parler. Je comprends que tu m'en veuilles, mais tu me manques tellement. Sans toi, on dirait que ma vie n'a plus aucun sens.

D'ailleurs, rien ne va plus depuis ton départ. Félix a cassé avec Katherine après l'avoir trompée dans un party (le party où il est allé vendredi soir lorsque Katherine nous a accompagnés dans le Vieux-Montréal). Il ne lui avait pas avoué ce qui s'était passé, mais comme José était au même party que lui et qu'il a tout vu, il est allé répandre la nouvelle dans toute l'école, ce qui a encore plus anéanti Katherine. J'ai essayé d'être là pour elle, mais les nunuches ont vite remis le grappin sur elle pour essayer de la convaincre de fuir comme la peste tous les membres de la famille Olivier ! Elle me sourit quand elle me croise, mais elle n'ose plus venir vers moi quand Maude, Sophie ou Marianne sont dans les parages. Il faut dire que depuis que tu n'es plus là pour me protéger, les nunuches n'y vont pas de main morte avec moi.

Ma dure semaine a aussi eu un impact sur ma relation avec Éloi. Disons que j'ai la mèche courte, et tu sais combien j'ai tendance à me renfermer sur moi-même quand ça ne va pas. Il essaie de me remonter le moral et de me changer les idées, mais ça n'aide pas et on dirait que j'ai de plus en plus besoin d'air. Il m'a demandé pourquoi on s'était chicanées, et j'ai dû inventer que c'était à propos de Laurie pour ne pas qu'il sache que Thomas était impliqué dans l'histoire. Tous ces ramassis de mensonges me montrent bien à quel point j'ai eu tort de reprendre contact avec lui. Je le regrette tellement. :(Tu avais raison : Thomas ne m'apporte que des problèmes.

Ne va pas croire que je te raconte tout ça pour te mettre de la pression, ni pour faire pitié ; c'est plutôt pour que tu saches à quel point ma vie déraille quand tu n'es pas là. :(
Léa
xox

À : Katherinepoupoune@mail.com
De : Léa_jaime@mail.com
Date : Jeudi 23 janvier, 20 h 45
Objet : Désolée...

Salut, Katherine !
Je sais que tu en veux beaucoup à mon frère en ce moment et que ce qu'il a fait n'a pas d'excuse, mais je tenais à te dire que je suis là pour toi si tu en as besoin.

J'espère que tu sais que je n'ai rien à voir dans cette histoire et que je n'ai pas de contrôle sur ce qu'il ressent. :(
Je trouve ça plate parce que je t'aimais beaucoup comme belle-sœur, mais j'espère qu'on pourra rester amies !
Léa xox

À : Stephjolie@mail.com
De : Léa_jaime@mail.com
Date : Vendredi 24 janvier, 21 h 22
Objet : Besoin d'aide

Salut, Steph !
J'espère que tout va bien de ton côté. :) Je t'écris parce que je ne sais plus quoi faire. J'ai essayé de joindre Marilou de toutes les façons possibles et inimaginables, mais elle m'ignore complètement. J'imagine que tu connais déjà l'histoire. Je me sens vraiment mal de lui avoir menti, mais je n'ai pas fait ça pour lui faire de la peine. :(J'ai agi égoïstement parce que je ne voulais pas qu'elle me dise que je faisais une erreur en reprenant contact avec Thomas. J'espère que tu arriveras à me comprendre, ou du moins à me donner des idées pour essayer de la convaincre de me pardonner. Je suis complètement désespérée. :'(
J'ai très hâte de te revoir, et embrasse Seb pour moi.
Léa xox

À : Léa_jaime@mail.com
De : Stephjolie@mail.com
Date : Samedi 25 janvier, 11 h 10
Objet : Re : Besoin d'aide

Salut, Léa !
En effet, je connais l'histoire... J'avoue que je me sens un peu coincée entre vous deux, parce que je comprends pourquoi elle est blessée, et je comprends aussi pourquoi tu lui as caché la vérité.

Je l'ai vue hier soir, et elle est aussi désespérée que toi. C'est drôle, vous êtes comme deux âmes sœurs perdues l'une sans l'autre. ;) Le problème, c'est que Marilou est la personne la plus orgueilleuse du monde. Mais je crois que j'ai réussi à percer sa carapace quand je lui ai dit que ce qu'elle te faisait vivre ressemblait un peu à ce que Laurie lui faisait endurer...

Bref, la seule chose que je pourrais te suggérer, c'est de continuer à lui écrire (je sais qu'elle lit tes courriels). Tu la connais : elle a une tête dure, mais elle finira par te pardonner !

Tu me manques, et j'ai bien hâte de te voir, moi aussi !
Steph xox

Samedi 25 janvier

Éloi (en ligne): Salut! 🖤 Qu'est-ce que tu fais?

14 h 02

Léa (en ligne): Je me prépare à aller chez Jeanne, car je dois commencer à préparer mon oral d'anglais. Je n'ai vraiment pas le cœur à étudier, mais je ne crois pas que le décrochage scolaire soit une solution à mon désespoir...

14 h 03

Éloi (en ligne): En effet.;) Et ce soir? As-tu envie de faire quelque chose? Le journal est paru hier, alors on pourrait aller fêter ça!!

14 h 03

Léa (en ligne): C'est gentil, mais non merci. Je n'ai pas le cœur à la fête. En plus, mes parents ont tout acheté pour faire une fondue chinoise, alors je pensais passer la soirée ici.

14 h 04

Éloi (en ligne): Léa, tu ne peux pas t'isoler comme ça... Ça n'arrange rien! Laisse-moi t'aider, s'il te plaît.

14 h 04

Léa (en ligne): Tu ne peux pas m'aider. Je me sens seule au monde et je m'ennuie de Marilou. C'est gentil de vouloir me changer les idées, Éloi, mais je préfère vraiment rester seule ce soir. OK?

14 h 05

Éloi (en ligne): Bon... Comme tu voudras. Amuse-toi bien avec Jeanne. Je vais penser à toi. :)

14 h 05

Léa (en ligne): Oui... moi aussi. xx

14 h 06

Éloi (en ligne): Hé, Léa... Je suis sûr que les choses vont s'arranger avec Marilou. Vous êtes trop inséparables pour que ça ne se règle pas! :) xx

À : Marilou33@mail.com
De : Léa_jaime@mail.com
Date : Lundi 27 janvier, 16 h 49
Objet : Les fleurs ?

Salut !
Toujours sans réponse depuis ton dernier courriel. :(
As-tu reçu mes fleurs ? C'est ma mère qui m'a donné
l'idée. J'ai soupé avec mes parents samedi soir
(Félix n'était pas là : il m'évite depuis l'histoire avec
Katherine), et ils ont bien vu que quelque chose n'allait
pas.

Mon père a toussoté (il le fait tout le temps quand il se
sent gêné) et il nous a laissées seules (je pense qu'il a
compris que je me sentais plus à l'aise pour parler de
mes problèmes personnels à ma mère. Ce n'est rien
contre lui, mais des fois, j'ai l'impression qu'il ne me
comprend pas) et j'ai tout raconté à ma mère. C'est
cool, parce qu'elle a été très compréhensive. Elle sait
évidemment que j'ai eu tort, mais elle n'a pas insisté
pour tourner le fer dans la plaie. J'avais vraiment
besoin de soutien, et elle m'a aidée à comprendre
pourquoi j'avais tant eu besoin de garder contact avec
Thomas. Je crois que tu as raison... Une partie de moi
voulait sans doute rester attachée... Mais dans quel
espoir ? Je ne sais pas. Je comprends que c'est fini,
et que je suis avec Éloi maintenant, mais c'est comme
si la vieille Léa, celle qui a encore un pied dans son

ancienne vie, refusait de céder. Je sais que ça semble absurde, mais bon, c'est ce que je ressens. Ou plutôt ce que je ressentais. Il m'aura fallu une chicane avec toi (la première à vie, je pense) et une gifle dans la figure (je parle ici de la relation entre Sarah et Thomas) pour me rendre compte que j'avais tort et qu'il était grand temps pour moi de passer à autre chose. :(

Le problème, c'est que je ne sais pas comment y arriver sans toi. C'est tellement bizarre d'être sans nouvelles de ma meilleure amie. Comment vas-tu ? Comment ça se passe avec JP ? Et Laurie ?

Je ne sais plus quoi dire ni quoi faire pour que tu me pardonnes. :(Je voudrais me rendre jusqu'à toi, mais c'est impossible en ce moment à cause de l'école...
Léa xox

P.-S. : Comble de malheur : il se trame quelque chose dans la gang des nunuches. Elles chuchotent en me regardant, et aujourd'hui, j'ai même senti que d'autres élèves que je connais à peine me regardaient de façon douteuse. Tu vas me dire que c'est sans doute mon imagination, mais je t'assure que quelque chose ne tourne pas rond.

À : Léa_jaime@mail.com
De : Katherinepoupoune@mail.com
Date : Mardi 28 janvier, 20 h 45
Objet : Re : Désolée...

Salut, Léa !
Merci pour ton courriel, ça me touche beaucoup. Je sais que ce n'est pas ta faute, mais disons que je dois me tenir loin de chez toi pour le moment...

J'ai vraiment *full* de peine. Je l'aimais tellement, Félix. Et je ne comprends toujours pas pourquoi il a fait ça. Une chance que j'ai mes amies pour me remonter le moral.

Je sais que c'est plate qu'on se voie moins qu'avant, mais j'imagine qu'avec le temps, les choses finiront par s'arranger.
Luv,
Katherine

P.-S. : En passant, même si Maude est fâchée contre toi (tu as sans doute entendu la rumeur qui court), moi, je n'ai rien à te reprocher. Je sais qu'on ne se parle pas beaucoup à l'école, mais je te trouve *full* gentille quand même.

À : Marilou33@mail.com
De : Léa_jaime@mail.com
Date : Mercredi 29 janvier, 18 h 49
Objet : Le fond du baril

Lou !
Je capote ! Je n'avais pas halluciné. Les gens parlaient bel et bien dans mon dos depuis quelques jours. Et tout ça à cause de Maude ! Encore elle !

Ce matin, j'étais en train d'enlever mes bottes quand Jeanne est venue me voir à mon casier.

Elle : Léa ? Ça va ?
Moi : Moyen. Ce n'est pas ma meilleure semaine. Toi ?
Elle : Non ! Je viens de me chicaner solide avec Maude.
Moi : Pourquoi ?
Elle : À cause de toi !
Moi : Bon ! Qu'est-ce que j'ai fait, encore ?
Elle : Tu n'as pas entendu la rumeur ?
Moi : Katherine m'a parlé d'une rumeur qui courait et j'ai remarqué que les gens me regardaient croche, mais je ne sais pas ce qu'elle a inventé, cette fois-ci. Qu'est-ce qui se passe avec moi ? J'ai le choléra ? Je suis un zombie ? J'ai trompé Éloi avec Alex ?
Elle : Non, cette fois-ci, elle a vraiment dépassé les bornes. Elle prétend que tu as plagié son texte pour le journal.
Moi : Hein ? Quel texte ?

Elle : Ton texte sur la princesse et les trois lutins. Maude dit que tu as réussi à mettre la main sur le texte qu'elle avait écrit pour le concours d'écriture de la Commission scolaire de l'année dernière et que tu as copié son idée pour ton article dans le journal.

Moi : Ben, voyons ! Je ne venais même pas à cette école dans ce temps-là ! Et je n'ai jamais vu son texte de toute ma vie !

Elle : Elle dit que son texte était beaucoup plus long que le tien, mais qu'il racontait aussi l'histoire d'une princesse dans un royaume enchanté qui devait trouver le petit lutin qui allait se transformer en prince charmant et que tu lui as volé son idée.

Moi : J'espère que tu sais que je n'ai pas plagié. Je n'aurais JAMAIS fait ça ! Est-ce qu'elle t'a montré son texte ?

Elle : Non ! Évidemment, elle nous fait croire qu'elle l'a perdu quelque part et qu'elle ne peut pas nous le montrer.

Moi : Donc, elle n'a aucune preuve ?

Elle : Non, et elle n'en aura jamais ! Je sais pertinemment qu'elle ment. Je connais Maude, et ce n'est pas la première fois qu'elle fait ce genre de truc pour se venger. L'année dernière, quand elle a su que Katherine avait embrassé José, elle a fait croire à tout le monde que Kath avait un problème d'hygiène. Et comme par hasard, le problème est disparu quand elle est redevenue amie avec elle.

Moi : Et ironiquement, elle se venge sur moi parce que mon frère a fait de la peine à Katherine ?

Elle : Genre. Et parce qu'elle est jalouse que tu fasses partie du journal, et parce qu'elle croit que tu as volé Éloi à Marianne.

Moi : Et c'est pour ça que tout le monde me regarde comme si j'avais la peste bubonique ? Ils croient que Maude a raison ?

Elle : Je suis certaine que plusieurs d'entre eux ne croient pas ce qu'elle dit, mais ils ont trop peur d'elle pour la contredire. Bref, ils embarquent dans son jeu en espérant qu'elle ne se revire jamais contre eux.

Moi : Elle est encore plus machiavélique que je pensais ! Je sais que tu me répètes souvent qu'au fond, elle est gentille, mais je commence à avoir de la misère à le croire.

Elle : Je t'assure qu'elle n'était pas aussi méchante, avant. On dirait que sa relation avec José l'a changée, et que la présence de Marianne la rend encore plus *bitch*. En tout cas, tu peux être certaine que je lui ai dit ma façon de penser. Je sais que Sophie, Lydia et Katherine n'oseront jamais s'opposer à elle, mais moi, je m'en fous bien de ce qu'elle pense !

Moi : Merci, Jeanne. Il y a très peu de gens sur qui je peux compter en ce moment, et tu ne sais pas à quel point ça me fait du bien de savoir que tu es là pour moi.

Après mes cours du matin (pendant lesquels tout le monde me regardait en chuchotant), je me suis vite réfugiée au local du journal. Annie-Claude, Éric et

Éloi s'y trouvaient déjà. Heureusement pour moi, je pouvais compter sur leur loyauté.

Éloi (en me prenant dans ses bras) : Ça va ?

Moi : Ça pourrait difficilement aller plus mal.

Éloi : Il ne faut pas que tu te laisses atteindre par ce que les gens racontent. Ils sont jaloux et ils ont peur de Maude. C'est vraiment pathétique, leur affaire.

Annie-Claude : En plus, ton texte est clairement autobiographique !

Éric (en me regardant d'un drôle d'air) : Comment ça ? Tu hésitais entre trois lutins. (Merci, Éric, pour le malaise.)

Moi (en souriant à Éloi) : C'est une longue histoire... Mais ce qu'Annie-Claude veut dire, c'est que cette histoire-là est inspirée de faits vécus, et je vous jure que c'est moi qui l'ai écrite sans plagier personne.

Éric (en haussant le sourcil et en me regardant droit dans les yeux comme s'il était un douanier) : Tu en es vraiment, mais vraiment certaine ?

Éloi : Éric, franchement ! Tu sais bien que Léa dit la vérité. Après tout, tu connais les manigances machiavéliques de Maude mieux que quiconque.

Moi : Comment ça ?

Éric : Disons que ce n'est pas la première fois que Maude essaie de me mettre des bâtons dans les roues. L'année dernière, je lui ai dit qu'elle ne pouvait pas faire partie du journal parce qu'elle n'avait pas l'esprit d'équipe. Pour se venger, elle a fait croire à tout le monde que j'avais refusé parce que j'étais en amour avec elle. Et elle s'étonne que je lui aie refusé la place cette année !

Moi : Ce que je ne comprends pas, c'est que personne ne lui tienne tête.

Éloi : Ce n'est pas vrai, ça... Prends l'exemple d'Éric et de Jeanne. Et regarde à quel point tu ne t'es jamais laissé faire, toi non plus !

Annie-Claude : C'est vrai, ça ! Tu lui as toujours tenu tête, Léa ! Si tu l'avais écoutée, tu serais rendue *best* avec elle et Marianne, tu comploterais dans notre dos et tu serais devenue une pitoune !

J'ai souri et on s'est tous assis pour manger. Je n'avais vraiment pas envie d'aller à la cafétéria, ni même de parler à qui que ce soit d'autre, sauf peut-être à Jeanne. Annie-Claude a raison : c'est vrai que j'ai souvent défié Maude depuis mon arrivée ici. Crois-tu que c'est pour ça qu'elle me déteste autant ? Le problème, c'est que même si on ne se laisse pas mener par le bout du nez, la majorité des élèves de secondaire 3 le font et la suivent comme un chien de poche quand elle décide de se jeter sur quelqu'un d'autre. Et tout ça parce qu'ils ont peur d'elle ! Tu parles d'un tyran !

Après l'école, je suis allée au Presse Café avec Jeanne pour discuter de tout ça (en français, puisque je n'avais aucune envie de pratiquer mon anglais !). Elle m'a raconté que Maude l'avait traitée de traître ! Peux-tu le croire ?

J'aimerais tellement avoir de tes nouvelles, Lou. J'ai vraiment besoin de toi, en ce moment...

Léa xox

À : Léa_jaime@mail.com
De : Marilou33@mail.com
Date : Mercredi 29 janvier, 20 h 43
Objet : Une revenante

J'abandonne ! Je voulais continuer à te bouder pour l'éternité, mais ton dernier courriel m'a trop bouleversée pour que je ne réagisse pas.

Pauvre Léa ! Je n'en reviens pas ! Je relis tes courriels en boucle, et je me sens vraiment attendrie... et maintenant, je ne veux qu'une seule chose : te serrer dans mes bras. :'(

Réalises-tu qu'en moins de trois semaines :
1. Tu as appris que ton ex sortait avec ta pire ennemie.
2. Tu t'es chicanée avec ta *best* (moi), qui a disparu de ta vie pendant 10 jours.
3. Ton frère a trompé sa blonde, qui était, de surcroît, l'une de tes amies et l'une des nunuches, et les deux t'évitent depuis que c'est arrivé.
4. Tu t'éloignes de ton chum à cause des raisons 1, 2 et 3.
5. La reine de popularité de ton niveau a décidé de jeter son fiel sur toi et de faire circuler une rumeur

selon laquelle tu aurais plagié son texte pour ton article dans le journal étudiant.

Conclusion : tu ne peux pas vivre sans ta *best*, et je ne peux pas vivre sans toi, moi non plus !

Je veux te remercier pour tes messages, tes courriels et pour les fleurs. Ça m'a prouvé à quel point tu tenais à moi et à quel point tu regrettais ce qui s'était passé, et ça m'a aidée à passer par-dessus mon (gros) orgueil.

Autre facteur ayant joué en ta faveur : Laurie a décidé de me pardonner ! Elle m'a téléphoné hier soir (il faut dire que suivant ton exemple, j'avais décidé de la reconquérir à coup de courriels) pour me dire qu'elle s'excusait elle aussi d'avoir réagi comme ça. Je lui ai dit que je la comprenais, et que dorénavant, on ne laisserait plus jamais un gars se mêler de notre amitié.

Même chose pour toi, Léa : je te pardonne de m'avoir menti, mais il faut se promettre de ne plus jamais se cacher des choses pareilles, et surtout de ne plus jamais se chicaner à cause d'un gars (surtout Thomas).
J'ai réfléchi à tout ce que tu m'as dit (et écrit), et tu as sûrement raison : c'est vrai que j'aurais mal réagi si tu m'avais dit que tu avais repris contact avec Thomas, et je comprends que tu aies eu peur de te faire juger... C'est le genre de réaction qu'il m'arrive parfois d'avoir. ;)
En réalité, c'est LUI, le problème ! Il ne fait jamais

« exprès » pour te faire de la peine, il ne sait jamais ce qu'il veut, il réapparaît au moment où tu commences à passer à autre chose et je trouve qu'il joue avec tes sentiments. Tout ça sans compter qu'il sort maintenant avec Sarah Beaupré. Beurk !

J'ai dit à JP qu'il était hors de question qu'on fasse des activités de couple avec ces deux-là. Tant qu'à ça, j'aime autant me tenir avec Laurie et son chum de secondaire 2, ou alors avec Seb et Steph !

La bonne nouvelle, c'est que JP n'est pas capable de sentir Sarah, lui non plus. Il la trouve *full* superficielle. Il prétend que Thomas sort juste avec elle pour t'oublier et qu'il ne l'aime pas vraiment, mais je m'en fiche pas mal, car le mal est fait.

Pour en revenir à tes problèmes :
1. Il n'y a rien à faire là-dessus. Ils se méritent bien, ces deux-là, et tu mérites mille fois mieux.
2. Je suis de retour, alors tu n'as plus à t'inquiéter à propos de l'absence de ta *best* ! :)
3. Si Katherine est trop influençable pour réaliser que tu es une amie loyale, eh bien, tant pis pour elle. Je pense que tu as fait tout ce qu'il fallait pour qu'elle sache qu'elle pouvait compter sur toi et que tu voulais rester son amie. La vérité, c'est qu'elle ne t'évite pas à cause de ton frère... elle t'évite à cause de Maude qui la monte contre toi, et ça, c'est

pathétique. C'est dommage parce que je l'avais trouvée bien gentille, mais là, elle me déçoit pas mal...

Pour ce qui est de ton frère, je sais qu'il a été con avec elle, mais en même temps, ce n'est pas de nos affaires et tu n'as rien de personnel à lui reprocher. Je trouve que Félix est très cool (en général) avec toi (pense aux partys où il t'invite, à la façon dont il te protège et à tous les services qu'il te rend avec la voiture) et qu'il pourrait être un allié de taille contre les nunuches. N'oublie pas qu'elles ont peut-être le pouvoir d'influencer certains élèves de secondaire 3, mais comme ton frère est en secondaire 5, elles n'arriveront jamais à l'atteindre.

4. Relis mon point 1 pour réaliser qu'Éloi est l'homme de ta vie ! Sans blague, il prend soin de toi et je pense que tu mérites un gars comme lui. Donc, arrête de le repousser (c'est un ordre) ! Si moi, j'ai été capable de passer par-dessus mon orgueil, tu sauras certainement apprendre à l'inclure dans ta vie. Ça s'appelle de la maturité. Lol !

5. Ne dis rien à Maude pour l'instant. N'oublie pas que ce qu'elle veut, c'est justement te faire enrager. Elle veut monter tout le monde contre toi et te faire passer pour une cruche. Tu n'as pas dit ton dernier mot, c'est moi qui te le dis ! Lol ! Laisse-moi simplement penser à une contre-attaque efficace.

Pour terminer, je crois que Annie-Claude et Éloi ont raison : même si tu doutes parfois de toi, tu es plus forte que tu ne le penses et tu ne te laisses pas marcher sur les pieds. Toi et moi formons une équipe d'irréductibles écraseuses de nunuches, et je te promets qu'ensemble nous parviendrons à les vaincre !

Je t'aime, Léa, et tu m'as beaucoup manquée, toi aussi ! (Si tu ne me crois pas, tu demanderas à JP. Il a failli devenir fou !)

Appelle-moi plus tard si tu peux !
Lou xx

À : Marilou33@mail.com
De : Léa_jaime@mail.com
Date : Jeudi 30 janvier, 17 h 52
Objet : Je respire mieux !

Coucou !
Je respire tellement mieux depuis hier soir ! Et ça m'a tellement fait du bien de te parler au téléphone et de pouvoir me confier à quelqu'un ! Peux-tu croire que ma mère était devenue ma *best* ? Je sais qu'elle est là pour moi et qu'on aime magasiner ensemble, mais, tu sais, elle est quand même une mère et elle ne peut s'empêcher de me lancer des répliques du genre « un de perdu, dix de retrouvés », ou « il y a plusieurs poissons dans l'eau », ou encore « le temps arrange les choses ». Euh, je sais, mais ta théorie ne règle pas mes problèmes dans l'immédiat !

Pour en revenir à tes demandes, je te fais la promesse solennelle qu'on ne se chicanera plus pour un gars (Thomas ou un autre) et que je ne te cacherai plus rien, même si ça veut dire que j'aurai droit à des sermons de ta part parce que je fréquente des gars qui ne me méritent pas ! Lol !

Grâce à toi et à tes paroles d'encouragement, j'ai décidé d'être solidaire de Félix et de me rendre à l'école avec lui, ce matin. La différence, c'est que je me rends compte que son histoire avec Katherine n'a eu aucun impact sur sa popularité, ni sur son statut social. C'est exactement comme tu disais : il est en secondaire 5 (absolument inatteignable), et les filles le trouvent toujours aussi *cute* qu'avant. (J'ai même entendu une fille de secondaire 4 chuchoter « Oh, mon Dieu ! Je pense que c'est Aliocha Schneider » à son amie. Peux-tu m'expliquer en QUOI il lui ressemble, s'il te plaît ?) Et comme c'est un gars, on dirait que personne ne le juge parce qu'il a trompé sa blonde ! Je lui en ai d'ailleurs fait la remarque.

Moi : La féministe en moi est un peu outrée de voir que les gens te respectent presque d'avoir trompé Katherine.
Lui : C'est quoi, le rapport ?
Moi : Ben, tu sais, si t'étais une fille, les autres de ton année te rejetteraient et te traiteraient de fille facile.

Lui : C'est mêlant, ton histoire.

Moi : Non ! Je dis juste que ce ne sont pas les mêmes standards pour les gars que pour les filles. Regarde les nunuches de mon année : elles s'acharnent sur moi parce que j'ai fréquenté un de leurs amis avant de sortir avec Éloi, mais je n'ai trompé personne, moi !

Lui : Je crois que tu accordes juste beaucoup trop d'importance à ce que les autres pensent de toi. Et je crois aussi que c'est une affaire de gènes. Les filles sont plus potineuses et *bitcheuses* que les gars. C'est prouvé, ça.

Moi : Ah ouais ? Par qui ? L'Institut de statistiques bidon de Félix Olivier ?

Lui : Ben, là ! Regarde ce que les filles de ton année sont en train de faire ! Comme elles sont jalouses, elles partent des rumeurs sur toi et elles parlent dans ton dos. Les gars ne feraient jamais ça. Au pire, ça finit en bataille et on n'en reparle plus.

Félix s'est ensuite rendu dans son aile, mais ses paroles m'ont portée à réfléchir. C'est vrai que les filles sont particulièrement méchantes et mesquines quand elles sont jalouses... Tu ne trouves pas ? Ça ne m'avance pas à grand-chose dans mon combat contre le reste des élèves de mon niveau, mais au moins, ça m'a fait du bien de me rapprocher de Félix. Il m'énerve avec sa popularité légendaire, mais comme tu dis, aussi bien en profiter ! Quand je me suis rendue à mon cours de sciences, je me sentais presque invincible ! J'entendais les gens chuchoter, mais ça ne m'atteignait pas : j'avais retrouvé ma *best*, j'avais un chum qui m'aimait et mon frère était cool. Malheureusement, je suis vite redescendue de mon nuage.

Quand l'heure du dîner est arrivée, je suis vite allée rejoindre Éloi qui m'a annoncé qu'il devait rencontrer des gens pour terminer un travail d'équipe. Je me suis ensuite rendue au local du journal, mais un comité organisateur quelconque avait demandé la permission de l'utiliser pendant quelques heures. J'ai cherché Annie-Claude, mais je me suis rendu compte qu'elle était allée manger avec ses amis de l'association étudiante. Découragée, je suis passée rapidement à la cafétéria pour m'acheter un sandwich, et j'ai vu Jeanne qui était assise à une table avec Sophie et Katherine. Maude était assise non loin de là avec José. Ils avaient l'air d'être en grande discussion. Comme il faisait -15° dehors, je n'avais aucune envie d'aller me balader dans les rues, ni de faire rire de moi parce que je mangeais seule à une table. Je suis donc allée m'enfermer dans un local du 3e étage pour manger mon sandwich. J'avais une boule dans la gorge. Je me sentais tellement rejet. Je sais qu'il y a des gens autour de moi, mais en ce moment, je me sens bien seule. Comme une étrangère dans une nouvelle école... C'est le même sentiment que je ressentais lors de mes premiers jours ici. Et je te jure que ce n'est pas super agréable !

Après mon cours d'anglais, Jeanne m'a offert de venir chez elle samedi pour faire nos devoirs et écouter un film. Elle m'a demandé si ça me dérangeait qu'elle invite Katherine, et je lui ai dit qu'au contraire ça me permettrait de passer un peu de temps avec elle. Son offre m'a remonté le moral un peu, mais j'avais encore la mine basse quand je suis sortie de l'école. Éloi m'a rejointe et m'a raccompagnée chez moi quand je lui ai raconté l'heure infernale de « rejetitude » que j'avais vécue. Je l'ai invité à prendre un chocolat chaud avant de partir, puis je suis vite montée dans ma chambre pour tout te raconter.

J'ai l'impression que ma vie est en montagnes russes, et que Montréal est une Ronde géante ! J'espère que tu auras des idées pour m'aider à vaincre et renverser le pouvoir des nunuches, ou du moins pour faire cesser les rumeurs qui courent sur moi.

Une chance que tu es revenue dans ma vie ! J'espère que tout se passe pour le mieux avec Laurie.
Léa xox

À : Léa_jaime@mail.com
De : Marilou33@mail.com
Date : Samedi 1er février, 10 h 03
Objet : Vive la poutine italienne !

Je sais que je n'ai pas eu d'idée magistrale jusqu'à maintenant, mais hier soir, je parlais de ton cas avec Steph et Laurie (à la cantine chez Ti-Paul ; rien de mieux qu'une poutine italienne pour se dégeler les méninges), et j'ai pensé à quelque chose. Tu connais Steph : l'avocat du diable qui propose de régler le tout par une discussion posée avec les nunuches (idée rejetée). Tu connais aussi Laurie : un caractère endiablé qui aime le drame et qui croit que la solution serait de faire renvoyer les nunuches de l'école ou de *frencher* José pour se venger de Maude (idée rejetée). Entre ces deux extrêmes se trouve ton talent : l'écriture. Pourquoi n'écris-tu pas un article sur l'injustice de l'emprise des nunuches sur le reste de l'école et sur leur tyrannie ? Si tu les décris comme des brutes, je crois que certains élèves s'indigneront et leur tiendront tête. Tu ne crois pas ? En tout cas, je pense que ça ne pourrait pas nuire... Pour ce qui est de la réaction des nunuches, ça reste à voir, mais disons que ça ne peut pas être pire qu'en ce moment !

Je sais que beaucoup de gens te suggèrent de ne pas répondre aux attaques de Maude et de ne pas embarquer dans son jeu, mais je pense que ton indignation est justifiée. Si ce n'était que Maude, tu saurais surmonter la situation et l'ignorer complètement, mais ce qui me dégoûte, c'est de voir que tous les élèves suivent son exemple de peur qu'elle se retourne contre eux. Elle n'est pas seulement populaire à cause de sa beauté, elle l'est aussi parce qu'elle intimide les autres, et ça, je trouve ça tout aussi inacceptable que toi. Que penses-tu de mon plan ? Est-ce trop prudent ? Préférais-tu une approche plus directe « à la Laurie » ?

Avec elle, tout se passe à merveille ! ❤ Son chum (qui s'appelle Olivier) est super gentil, mais j'avoue qu'on a passé beaucoup de temps entre filles cette semaine. JP commence d'ailleurs à en ressentir les répercussions et à me le faire savoir. Je crois qu'il manque d'attention. Lol !
J'espère que tu passeras une belle journée chez Jeanne (tu vois, tu as quand même des amies cool ! Et je ne parle pas uniquement de moi !)

Écris-moi dès que tu rentres !
Lou xox

P.-S. : Dans trois semaines, c'est ma fête ! J'ai hâte d'avoir 15 ans !
P.P.-S. : Crois-tu pouvoir venir passer quelques jours ici pendant la semaine de relâche ? Ce serait vraiment, vraiment génial de te voir !

Chapitre 6
Guerre froide

À : Marilou33@mail.com
De : Léa_jaime@mail.com
Date : Dimanche 2 février, 13 h 02
Objet : Le retour d'Alex

Coucou !
Je t'attends en ligne depuis tantôt et tu n'apparais pas, alors je vais te résumer ma soirée par courriel, car je dois partir dans vingt minutes avec mes parents. Ils ont prévu une journée familiale au Jardin botanique... (sans commentaires).

Félix est allé me conduire chez Jeanne, et Katherine est arrivée au moment où il se garait devant la maison. M-a-l-a-i-s-e. Mon frère lui a fait un signe de main, et elle lui a lancé un regard triste sans lui répondre. Je n'ai pu m'empêcher de le traiter de con avant de sortir de la voiture. J'ai couru pour rejoindre Katherine, qui s'est aussitôt effondrée en larmes dans mes bras. J'ai fait un signe à Félix pour lui indiquer de partir et j'ai sonné à la porte tout en soutenant Katherine qui était encore secouée par les sanglots. Lorsque le père de Jeanne nous a ouvert la porte, il nous a dévisagées pendant un instant, puis il a appelé Jeanne à la rescousse.

Nous avons consolé Katherine pendant une bonne demi-heure avant qu'elle se calme, mais je pense que ça lui a fait du bien de pleurer autant.

Katherine : Merci, les filles. Ça fait une semaine que j'ai une boule dans la gorge et que je m'efforce de ne pas pleurer, parce que Marianne et Maude me disent qu'il n'en vaut pas la peine. Je pense qu'il fallait que ça sorte.

Jeanne : C'est sûr. Tu ne peux pas garder toute cette peine en dedans. C'est normal que tu sois triste.

Moi : Quand Thomas m'a laissée, j'ai pleuré sans arrêt pendant dix jours ! J'étais tellement bouffie que même mes parents avaient peur ! (J'ai réussi à faire sourire Katherine.)

Katherine : Léa, je ne veux vraiment pas t'impliquer dans notre histoire, mais peux-tu juste me dire s'il sort avec la fille ?

Moi : Non ! Il a fait une niaiserie et cette fille-là ne veut rien dire. Je pense simplement que vous êtes rendus à deux étapes différentes et que tu seras sûrement plus heureuse avec quelqu'un qui te comprend mieux que lui.

Katherine m'a souri, puis on lui a changé les idées en travaillant sur mon oral d'anglais (pas super palpitant, mais le 14 s'en vient vite et il est temps de le préparer). Jeanne et elle m'ont aidée avec la prononciation de certains mots et la journée a passé super vite. Vers 18 h, les parents de Jeanne sont venus nous dire qu'ils sortaient pour la soirée et ils nous ont laissé de l'argent pour commander une pizza en nous invitant à rester.

J'étais super contente de pouvoir passer la soirée avec elles, mais Jeanne a reçu un appel d'Alexis quelques instants plus tard (elle s'acharne à dire qu'ils ne sont que des amis), et elle nous a demandé si ça nous dérangeait qu'Alex et lui se joignent à nous. J'avoue que je me sentais un peu mal de voir un film avec Alex sans Éloi, mais ce n'est pas comme si j'avais prévu le coup.

Quand les gars se sont pointés une heure plus tard, nous avons été surprises de voir que José s'était joint à eux sans nous prévenir.

Jeanne : José ! Tu ne passais pas la soirée avec Maude ?
José : Nah. Elle a quelque chose de prévu avec sa famille. Salut, Katherine ! Salut, la copieuse (moi) !
Moi : Mon nom, c'est Léa. Et je n'ai copié personne. Ce n'est pas de ma faute si ta blonde invente des choses sur moi.
José : Ouais, c'est ça.
Jeanne : José, c'est correct que tu t'invites chez moi, mais si t'es là pour causer des problèmes et insulter mon amie, j'aime autant que tu partes.
José (en me faisant un clin d'œil) : Ben non, voyons ! Je la taquine ! (En se tournant vers Katherine :) Qu'est-ce que t'as, ma belle ? T'as l'air triste. Tu as pleuré ?
Katherine : Non, ça va.
Jeanne (pour changer de sujet) : Bon, est-ce qu'on regarde le film, là ?

Avant de commencer le film, Alex est venu s'asseoir à côté de moi pour me dire bonjour. Il m'a donné deux becs sur les joues, mais je me suis tournée du mauvais côté et nos bouches se sont frôlées sans faire exprès.

Moi : Oups ! Excuse-moi ! J'ai le don d'être maladroite avec toi.

Lui (en me faisant aussi un clin d'œil) : Je te rends nerveuse, c'est ça ?

Moi : Ha ! Pfff ! Bah ! Mmm... Euh... (Oui.)

Lui : C'est correct, Léa. On peut être amis, non ?

Moi : Quoi ? Tu acceptes d'être l'amie d'une « copieuse » ?

Lui : Ah, là je te reconnais ! Tu sais, moi et les rumeurs... ça ne colle pas trop ensemble.

Ça m'a fait du bien d'entendre ça, et surtout, ça m'a détendue. Jeanne a mis le film (une comédie avec Adam Sandler) et on s'est tous collés sur son énorme sofa. Alexis s'est assis à côté de Jeanne (Quel hasard !), et Alex s'est assis de l'autre côté de lui. Je me suis installée près d'Alex, et Katherine s'est collée contre moi. José s'est installé au bout, et il a aussitôt passé son bras autour des épaules de Katherine. Si je ne connaissais pas leur histoire (tu te souviendras que José a déjà trompé Maude avec Katherine), je n'aurais pas été surprise, mais là, j'avoue que je trouvais ça bizarre. José drague vraiment tout ce qui bouge, et hier, il ne traitait pas Katherine comme une simple amie. Le pire dans tout ça, c'est qu'elle se laisse faire.

Je me demande s'il existe une sorte de rivalité entre elle et Maude...

Au bout d'un moment, Alex a aussi osé mettre son bras autour de mes épaules. Je me suis redressée d'un seul coup et j'ai toussoté. Non, mais ! Quand Éloi n'est pas là, les souris (Alex) dansent ? Comme il ne comprenait pas le message, je me suis excusée et j'ai dit que je devais aller aux toilettes (décidément, ils vont tous commencer à penser que j'ai un problème). Quand je suis revenue, j'ai remarqué que Jeanne s'était lovée contre Alexis (amis, mon œil !) et que Katherine avait posé sa tête sur l'épaule de José. C'était le monde à l'envers ! Je me suis rassise bien droite et Alex s'est tourné vers moi.

Lui : Ça va ? T'as l'air blême.
Moi : À vrai dire, je suis un peu mal à l'aise. Tu sais que j'ai un chum, Alex, et je pensais que tu voulais qu'on soit des amis. Genre JUSTE des amis.
Lui : Je n'ai jamais dit le contraire ! Ce n'est pas parce qu'on se colle un peu pendant un film que je te fais des avances. Je n'ai rien fait de mal.
Moi : Ouin... mais ça me gêne un peu, alors je préfère qu'on soit amis sans contact physique, OK ?
Lui (en m'envoyant son sourire craquant) : Aucun problème.

On s'est réinstallés comme il faut, et Alex a pris la peine d'insérer un coussin entre nous.

Lui : C'est mieux, comme ça ?

Moi (en lui lançant le coussin sur la tête) : T'es con !

On a tous les deux éclaté de rire et on a entamé une guerre de coussins à n'en plus finir ! Les autres se sont joints à la bataille, mais notre fou rire a été interrompu par les parents de Jeanne qui ont choisi cet instant pour rentrer à la maison et descendre au sous-sol. Ils n'avaient pas l'air contents du tout. Ils ont demandé à Jeanne de les suivre, et nous en avons profité pour ranger le bordel que nous venions de faire.

Lorsqu'elle est revenue, elle nous a dit que ses parents étaient en colère qu'elle ait invité des garçons sans leur demander la permission et qu'il valait mieux partir. Pour la punir, ils lui ont même interdit d'utiliser son ordinateur pendant une semaine ! Pauvre elle. :(

J'ai appelé mes parents pour qu'ils viennent me chercher (je n'allais certainement pas risquer une nouvelle confrontation entre Katherine et Félix), et je suis rentrée chez moi.

Je ne sais pas trop ce qu'Alex s'imaginait, mais je pense bien lui avoir fait comprendre qu'il n'avait aucune chance avec moi. Je suis une blonde fidèle. Lol ! Et je ne sais pas trop ce qui se trame entre Katherine et José, mais ça sent déjà le mélodrame.

Pour ce qui est de Jeanne et Alexis, on verra bien ! Mais, en tout cas, je les trouvais pas mal collants pour de simples amis.

J'espère te croiser plus tard sur Skype ! Sinon, je parlerai à Éloi. ♥ (Sans lui faire mention de l'attitude d'Alex. Je ne veux pas créer de friction inutile entre les deux !)
Léa xox

P.-S. : Pas mal, ton idée d'article... Je vais voir comment les choses se passent cette semaine, mais si la rumeur court toujours, je suivrai ton conseil.
P.P.-S. : Ça me tente VRAIMENT de venir pendant la semaine de relâche. Laisse-moi en parler à mes parents et je te reviens là-dessus.

À : Léa_jaime@mail.com
De : Marilou33@mail.com
Date : Lundi 3 février, 19 h 01
Objet : Alors ?

Salut !
Un petit mot en vitesse pour te demander des nouvelles. Comment ça s'est passé, aujourd'hui ? Est-ce que Maude et l'humanité ont lâché prise ou est-ce qu'ils te prennent encore pour la copieuse que tu n'es pas ?

Moi, je viens de me chicaner avec ma mère. J'avais prévu passer la soirée avec JP, question de me reprendre pour la semaine dernière, mais elle m'a obligée à annuler pour garder mon petit frère (et pas question d'inviter JP à garder avec moi pendant qu'ils ne sont pas là). ARG ! Je suis *full* déçue, et je n'ai même pas le temps de t'en dire plus, parce qu'ils partent d'une minute à l'autre. Tu peux être sûre que j'appellerai JP dès que mon frère sera couché ! Décidément, après ce qui s'est passé chez Jeanne, ce n'est pas la semaine des parents ! Lol !

Écris-moi vite !
Lou xox

À : Marilou33@mail.com
De : Léa_jaime@mail.com
Date : Lundi 3 février, 21 h 07
Objet : L'école au complet me regarde bizarre !

Ouais, tu peux le dire que ce n'est pas la semaine des parents ! Jeanne m'a dit qu'après notre départ, ses parents lui ont fait un sermon sur les dangers de l'alcool et sur la sexualité. Je ne comprends pas trop pourquoi ils sont si offusqués. Après tout, personne ne s'est embrassé et la seule chose qu'on consommait, c'était du pop-corn !

Comme elle n'a pas le droit d'utiliser son ordi et qu'elle doit rentrer à la maison tout de suite après l'école, ça me complique un peu la vie pour mon exposé oral parce qu'elle ne peut plus vraiment m'aider. J'ai demandé à Éloi s'il voulait bien écrire la dernière partie avec moi, mais il m'a dit qu'il n'avait pas le temps cette semaine, et il m'a conseillé de demander à Alex parce qu'il « est *full* bon en anglais ». J'ai voulu changer de sujet pour qu'il arrête d'insister, mais il est allé voir Alex lui-même, et là je suis prise pour le rencontrer mercredi après l'école pour travailler là-dessus. Mon objectif est d'être super détendue et de le traiter vraiment comme un ami. Le problème, c'est que des fois, quand je le regarde, je repense aux fois où l'on s'est embrassés et à ses vêtements qui sentent l'automne... et je me sens super gênée. Sans compter que ce n'est pas très correct de penser aux baisers d'un autre gars qu'Éloi. Ne va pas croire que je doute de mes sentiments ou que je regrette mon choix ! C'est juste qu'Alex me trouble un peu, et quand je repense à lui, ça me perturbe encore plus. Tu comprends ?

Pour répondre à ta question, la situation ne s'est pas du tout apaisée au cours de la fin de semaine. Quand je suis arrivée à l'école, j'ai senti que certains élèves de secondaire 1 et 2 parlaient dans mon dos (Maude n'a peut-être pas d'emprise sur les plus vieux, mais elle ne laisse pas sa place auprès des plus jeunes !).

J'ai regardé droit devant moi et je me suis répété les paroles de Félix «Tu ne dois pas te préoccuper du regard des autres», mais j'ai réalisé que ce n'était pas facile quand tout le monde chuchote en te regardant.

Lorsque je suis arrivée à mon casier, Lydia et Sophie sont venues me voir.

Lydia : Alors, vas-tu avouer ce que tu as fait ?

Moi : Je n'ai rien à avouer parce que je n'ai rien fait.

Sophie : Ben là ! Les élèves parlent juste de ça ! Tout le monde sait que la nouvelle a copié le texte de Maude Ménard ! Ce n'est pas rien. Tu sais, ce serait peut-être mieux que tu t'excuses...

Lydia : ... Et que tu quittes le journal pour laisser ta place à Maude.

Moi : Est-ce que ce serait par hasard Maude qui vous envoie me dire ça ? Si oui, vous pouvez lui dire que je n'ai rien à me reprocher et qu'il n'est pas question que je m'excuse, ni que je lui laisse ma place.

Sophie : Non, ce n'est pas Maude. C'est notre idée. On voulait juste te donner un conseil d'amies.

Moi : Avec des amies comme vous, pas besoin d'ennemies !

Lydia (en écarquillant les yeux) : Hein ?

Moi (en soupirant) : Laisse faire ! Est-ce qu'il y a autre chose ? Parce que je dois aller à mon cours.

Sophie : Une dernière chose. Je sais que ton frère a laissé tomber Katherine, mais sais-tu s'il a une nouvelle blonde ?

Lydia (en donnant un coup de coude à Sophie) : Ben voyons, Sophie !

Sophie : Ben quoi ? Tout le monde a des chums, sauf moi ! Et je le trouve vraiment *cute* ! Katherine va s'en remettre.

Lydia (en envoyant un regard plein de sous-entendus à Sophie) : C'est vrai qu'elle n'a pas vraiment l'air de se priver avec José.

Moi (jouant les innocentes) : Quoi ? Maude ne sort plus avec José ?

Sophie : Je ne sais pas si je devrais te dire ça... mais il paraît que Maude a appris que José l'avait trompée pendant les vacances et qu'elle l'a affronté vendredi soir. Ce qui est vraiment poche, c'est qu'au lieu de s'excuser, José est allé courir dans les bras de Katherine. Je pensais que c'était réglé, leur histoire de triangle amoureux ! Je suis tannée que Katherine soit après José ! Il y a d'autres filles qui aimeraient ça se rapprocher de lui...

Moi : Euh...

Lydia : Moi, je suis sûre que Katherine fait exprès pour faire de la peine à Maude.

Moi : Pourquoi ? Je pensais qu'elles étaient amies ?

Lydia : Mouais... mais depuis ce qui s'est passé l'année dernière, les choses ne sont jamais vraiment redevenues comme avant...

Nous avons alors été interrompues par Maude.

Maude : Hey, les filles, qu'est-ce que vous faites avec Mme Copieuse ?

Sophie : Eh bien... Euh, je... on... rien...

Lydia : Ouais ! Rien, mais... Euh... On a fini, là. *Bye*, Léa.

Les nunuches sont parties en me laissant songeuse. Je ne savais pas que la situation était encore tendue entre Maude et Katherine... J'en ai parlé à Éloi, qui m'a dit qu'il ne se mêlait pas des « problèmes de filles », et encore moins de ceux de Maude. (Je commence à comprendre pourquoi Félix et lui s'entendent bien. Lol !)

Pendant le cours, Lydia et Sophie ont voulu se rattraper d'avoir été presque gentilles avec moi et prouver leur loyauté à Maude en riant de moi et en chuchotant des choses aux autres. Je sais que j'ai la « carapace dure », mais il y a des limites ! En plus, je les trouve tellement influençables. Une chance que j'ai Éloi, Annie-Claude et Jeanne, parce que je ne sais pas ce que je ferais sans eux.

J'espère que tu passes une soirée pas si mal, malgré les circonstances.

Léa xox

Mardi 4 février

Éloi (en ligne): Coucou! Tu travailles encore sur le projet d'anglais?

21 h 07

Léa (en ligne): Ouais... Si ça peut me faire oublier le reste! Peux-tu croire que quelqu'un ait écrit «Copieuse» sur mon casier?! Je suis morte de honte. Je n'ai vraiment pas envie d'aller à l'école, demain. ☹

21 h 08

Éloi (en ligne): Je comprends que ça te choque, mais si tu embarques dans le petit jeu de Maude, ça n'arrangera rien.

21 h 09

Léa (en ligne): Qui te dit que c'est Maude qui a fait ça? C'est rendu que tout le monde me soupçonne d'avoir plagié. Ça pourrait être n'importe qui!

Éloi (en ligne): Je sais que les gens sont suiveux, mais de là à faire des graffitis sur ton casier, je trouve que c'est dépasser les bornes. Et puis, c'est le genre de coup bas qui lui ressemble vraiment. Si ce n'est pas elle, c'est une des filles de sa gang qui a obéi à ses ordres.

21 h 12

Léa (en ligne): Peut-être, mais en attendant, ça ne règle pas mon problème. Je me sens humiliée et je ne sais plus quoi faire pour que ça change. On sait que Maude n'a aucune preuve pour m'inculper, mais ça ne veut pas dire que les élèves ont besoin d'une preuve pour la croire.

21 h 12

Éloi (en ligne): Moi, je suis certain que ça va passer. Il suffit qu'un autre scandale survienne pour que les gens oublient ton histoire.

21 h 12

Léa (en ligne): MAIS OUI! C'est ça! Éloi, tu es un génie!

Éloi (en ligne): Euh... je sais! Mais pourquoi donc, cette fois-ci?

21 h 13

Léa (en ligne): Tu viens de me donner une super bonne idée! Il faut que je trouve un autre scandale pour que les gens me fichent la paix.

21 h 14

Éloi (en ligne): Tu veux dire que tu veux inventer un scandale? Ce n'est pas un peu comme te rabaisser à leur niveau, ça?

21 h 16

Léa (en ligne): De un, je ne vais pas l'inventer: je vais en trouver un qui existe! D'ailleurs, j'ai déjà quelques idées. De deux, je sais que c'est plate de devoir faire ça, mais je n'ai pas le goût de me faire niaiser pendant tout le reste de mon secondaire sans rien dire.

Éloi (en ligne): Hum... Bon, si tu le dis. Mais tiens-moi au courant avant de faire scandale. Je veux quand même savoir ce que tu trames, espèce de rebelle! Et te le dire si tu vas trop loin!;)

21 h 19

Léa (en ligne): Ben là, tu me connais. Je ne ferais jamais ça! ☺

Félix vient de se joindre à la conversation

21 h 20

Léa (en ligne): Qu'est-ce que tu fais là, toi?

21 h 20

Éloi (en ligne): Ben là! Je m'excuse. Je peux partir, si tu veux.

21 h 21

Léa (en ligne): Ben non! Pas toi! Je parle de lui.

21 h 22

Éloi (en ligne): Qui ça, lui?

21 h 22

Félix (en ligne): Moi! Salut, *man*!

21 h 23

Éloi (en ligne): Hey! Salut, *bro*! Comment ça va?

21 h 24

Léa (en ligne): OK, c'est très touchant toute cette histoire de «*bro-man*», mais est-ce que je peux savoir ce que tu veux, Félix?

21 h 26

Félix (en ligne): Relaxe. Je suis ici pour vous offrir de m'accompagner à un party chez Édith, vendredi.

21 h 27

Léa (en ligne): Un autre? Elle n'a pas des parents, cette fille-là?

21 h 27

Félix (en ligne): Oui, mais ils voyagent beaucoup.

21 h 27

Éloi (en ligne): En tout cas, moi ça me tente !

21 h 28

Léa (en ligne): Mouais... Je ne sais pas trop si j'ai envie de me taper la foule de l'école après ce qui s'est passé aujourd'hui.

21 h 29

Félix (en ligne): Je pense au contraire que ça te fera du bien. Les secondaires 5 s'en foutent des rumeurs de Maude.

21 h 30

Éloi (en ligne): Allez, Léa. Ça va te faire du bien !

21 h 30

Léa (en ligne): Pour quelqu'un qui me trouve rebelle, je te trouve pas mal intense d'insister à ce point-là pour assister à une fête.

21 h 31

Éloi (en ligne): Justement, je veux être rebelle, moi aussi !

21 h 32

Félix (en ligne): *Enwèye*, Léa. Dis oui!

21 h 32

Léa (en ligne): Et toi? Pourquoi tu tiens tant que ça à ce que je vienne? C'est louche, ton affaire.

21 h 33

Félix (en ligne): Ben, c'est sûr que je pense à ton bien-être, mais en plus, je sais que les parents ne pourront pas dire non si je t'invite. ☺

21 h 34

Léa (en ligne): Ha! Me semblait, aussi! Bon, OK. Vous m'avez convaincue. Mais si c'est plate ou que je me fais niaiser, il y en a un de vous deux qui devra me raccompagner.

21 h 35

Éloi (en ligne): Promis!

21 h 35

Félix (en ligne): Juré!

21 h 35

Éloi (en ligne): Craché! Lol!

21 h 36

Léa (en ligne): Bon, *bye*, les *BFF*. Je dois continuer mon travail. À plus!

À : Léa_jaime@mail.com
De : Marilou33@mail.com
Date : Jeudi 6 février, 19 h 01
Objet : Je pompe !

Salut !
Je peux te dire que je suis encore aussi pompée depuis que tu m'as raconté l'histoire du casier. Non, mais ! Ce n'était pas assez d'inventer une rumeur sur toi ! Maintenant, elle doit aussi détruire tes biens et t'humilier devant tout le monde ! Je comprends que tu n'aies pas voulu la dénoncer au directeur (surtout qu'on n'a aucune preuve), mais je trouve ça ingénieux de songer à un autre scandale pour t'éviter de rester sur la sellette et diriger leur attention ailleurs.

Tu m'as dit que c'était tendu entre elle et Katherine à cause de José... Crois-tu qu'on puisse utiliser ces informations ? Te connaissant, tu ne voudras pas impliquer Katherine là-dedans parce que tu la trouves trop gentille, mais si ce n'était que moi, je ne l'épargnerais pas non plus ! Après tout, elle est super gentille avec toi quand elle est loin de son clan de nunuches, mais dès que Maude est dans les parages, elle n'ose même pas prendre ta défense. Grrr !

Et dis-moi, comment s'est passée ta rencontre avec Alex ? Est-ce qu'il a essayé de te faire une accolade en te faisant croire que ce n'était qu'amical ? Lol !

De mon côté, tout est au beau fixe depuis que je me suis réconciliée avec Laurie. J'ai retrouvé ma gang de filles, et je réalise que ça améliore ma relation avec JP. Quand il veut passer du temps avec Seb et Thomas, je le laisse faire et je vais voir mes amies. Je te jure que tu ne me reconnaîtrais pas cette semaine ! Je suis tellement de bonne humeur que j'ai décidé de pardonner à mes parents d'avoir gâché ma soirée avec JP !

Sans blague, on va se reprendre ce samedi ! :) Il m'a invitée à aller au cinéma, et en plus, je peux choisir le film que je veux ! Comme je meurs d'envie de voir *Twilight* avant que ça ne soit plus à l'affiche. Je vais en profiter. Et en version française ! Oui, madame ! Lol !

Avant que je me mette à étudier, je dois te raconter un petit incident qui m'est arrivé ce matin. En allant à l'école, je suis tombée nez à nez avec Thomas qui tournait le coin de rue. Je lui ai même foncé dedans, alors cette fois-ci, je ne pouvais faire comme si je ne l'avais pas vu.

Thomas : Salut, Marilou.
Moi : Ouais, c'est ça. *Bye*.
Thomas : Marilou, attends ! Comment elle va ?
Moi : Tu as réussi à créer un froid entre nous et à causer une chicane pour la première fois de notre vie, sans compter que tu lui as ENCORE brisé le cœur en lui

cachant que tu sortais avec une sorcière, mais à part de ça, elle va bien.

Thomas : Sais-tu si elle vient ici bientôt ?

Moi : De un, je ne sais pas, et de deux, même si je le savais, je ne suis pas assez folle pour te le dire !

Thomas : Bon, alors j'imagine que tu ne prendras pas non plus la peine de la saluer de ma part ?

Moi : Plutôt manger du boudin cru ! *Bye*, Thomas.

J'avais pourtant réussi à l'éviter depuis ce qui s'est passé (et tu comprends que ce n'est pas facile, comme on fréquente la même petite école et qu'il est le meilleur ami de mon chum), mais là, il a eu droit à Marie-LOUP dans toute sa splendeur. ;)

Bon, allez ! Je te laisse pour vrai ! Je vais essayer de me connecter plus tard pour que tu me donnes des nouvelles !

Lou xox

À : Katherinepoupoune@mail.com
De : Léa_jaime@mail.com
Date : Jeudi 6 février, 20 h 01
Objet : Salut !

Salut, Katherine !

J'espère que tu vas bien (ou du moins que tu vas mieux). Je voulais juste prendre de tes nouvelles. Je n'ai pas vraiment eu la chance de te parler depuis la fin de semaine dernière, et je sais que tu étais très triste, alors j'espère qu'avec le temps la douleur s'apaise un peu. Si ça peut t'encourager, quand Thomas m'a laissée, je sentais comme un gros trou dans ma poitrine et j'avais peur que ça fasse toujours aussi mal. Avec le temps, j'ai commencé à mieux respirer, et, des fois, je me levais le matin sans avoir de boule dans la gorge ! Puis je me suis rapprochée d'Éloi... et tu connais la suite ! ;)

Bref, je suis certaine qu'il y a plein de gars autour de toi qui ne demanderaient pas mieux que de sortir avec la belle Katherine ! Tant pis pour Félix ! C'est sa perte.

Parlant de gars... je ne veux pas être indiscrète, mais il me semble que José te collait pas mal chez Jeanne, non ? J'ai cru comprendre entre les lignes que José et Maude s'étaient chicanés et avaient peut-être (encore) cassé, alors je me demandais s'il se passait quelque chose entre vous deux... Tu n'es pas obligée de me répondre, mais comme je suis impliquée sans le vouloir dans les manigances de Maude, je sais à quel point elle peut être méchante quand elle le veut, et je ne voudrais pas que tu souffres davantage.

Bref, donne-moi de tes nouvelles ! Ce serait génial de jaser de tout ça de vive voix, mais étant donné la

situation, j'essaie de me tenir le plus loin possible de votre gang. :S
Bisous,
Léa

À : Léa_jaime@mail.com
De : Katherinepoupoune@mail.com
Date : Jeudi 6 février, 20 h 33
Objet : Re : Salut !

Salut, Léa !
Merci beaucoup pour ton courriel. Tu es super fine de m'encourager comme ça ! C'est sûr que je trouve ça difficile par moments, mais j'avoue que la colère que je ressens m'aide quand même à passer au travers.

C'est plate qu'on ne se parle pas à l'école, mais je te comprends. Je sais de quoi Maude est capable (je me souviens bien de la fameuse rumeur qu'elle avait propagée à propos de moi l'année dernière) et à ta place, je me méfierais aussi.

Pour ce qui est de José, c'est un peu compliqué comme histoire. Je crois qu'Éloi t'a déjà raconté ce qui s'était passé l'an dernier. Les choses ont fini par se replacer entre Éloi et moi (surtout depuis que tu sors avec lui), mais entre Maude et moi, ça a toujours été un peu tendu. On fait comme si de rien n'était, mais au fond, je pense que la confiance est brisée entre nous deux et qu'on se méfie un peu l'une de l'autre.

Ceci dit, je n'avais aucune mauvaise intention en me collant contre José. C'est lui qui me court toujours après, et j'avoue qu'en ce moment ça me fait du bien d'avoir un peu de réconfort ! C'est vrai que j'ai toujours eu un petit faible pour lui (surtout avant que je rencontre Félix), mais je sais aussi qu'il drague tout ce qui bouge, alors je ne me fais pas trop d'idées et je garde mes distances.

Et tu avais vu juste en ce qui concerne lui et Maude. Ils ont (encore) cassé dimanche passé. Maude a appris que José avait embrassé une autre fille pendant les vacances et elle lui a fait toute une crise, mais je crois qu'elle aurait été prête à lui pardonner s'il ne l'avait pas laissée. José m'a expliqué qu'il n'en pouvait plus de leur relation et qu'il avait besoin d'une vraie pause cette fois-ci. C'est à suivre !

Appelle-moi en fin de semaine si jamais tu as envie de parler !
Luv,
Katherine

Jeudi 6 février

21 h 04

Marilou (en ligne): Enfin! Tu es en ligne!

21 h 04

Léa (en ligne): Oui! Excuse-moi! J'étais «invisible» parce que je n'arrive pas à me concentrer quand je clavarde. Mais là, j'ai fini mes devoirs, alors je suis libre!

21 h 05

Marilou (en ligne): As-tu lu mon courriel?

21 h 06

Léa (en ligne): Oui! Merci pour Thomas! J'aime ça que tu prennes ma défense!! Et c'est vrai qu'il n'a pas d'affaires à savoir comment je vais, ni quand je compte venir. Parlant de ça, j'en ai parlé à mes parents, et ils m'ont dit qu'ils ne voyaient pas d'objection à ce que j'aille passer deux ou trois jours avec toi pendant la semaine de relâche!!!!

21 h 07

Marilou (en ligne): Trop cool! Je vais nous prévoir plein d'activités!!! Et je te promets qu'on fera tout pour éviter Thomas! Lol!

21 h 07

Léa (en ligne): C'est gentil. ☺

21 h 07

Marilou (en ligne): Et alors, avec Alex?

21 h 09

Léa (en ligne): Ce n'était pas si mal. On s'est installés à la bibliothèque (l'endroit le moins romantique au monde) et on s'est vraiment concentrés sur mon travail. À la fin, il m'a juste demandé si ça allait toujours bien avec Éloi, et j'ai répondu que oui. C'était cool, parce que je n'ai ressenti AUCUN malaise.

21 h 11

Marilou (en ligne): Ben là! J'espère. Vous étiez à la bibliothèque! Lol! Et pour Maude, tu as pensé à un plan d'action?

Léa (en ligne): Pas encore, mais tu avais vu juste: je ne veux pas impliquer Katherine là-dedans. En plus, je crois qu'elle aime bien José, et disons qu'après ce que Félix lui a fait vivre, je ne veux pas en rajouter! Je sais que José est croche et qu'il est malhonnête, mais ce n'est pas de la faute de Katherine. Par contre, je sais qu'avec cette gang-là, un scandale n'attend pas l'autre et que je finirai bien par trouver quelque chose...

21 h 15

Marilou (en ligne): Ouais, et tu peux compter sur mon aide. ☺ N'oublie pas que nous sommes les écraseuses de nunuches!

21 h 15

Léa (en ligne): Lol!

21 h 16

Marilou (en ligne): Bon, j'y vais! JP vient de m'appeler. ♥

21 h 16

Léa: (en ligne): OK! À demain! xxx

À : Marilou33@mail.com
De : Léa_jaime@mail.com
Date : Samedi 8 février, 10 h 07
Objet : Merci, José !

Salut !
J'espère que tu as passé une belle soirée hier. Je sais que tu étais censée aller chez Seb avec Steph et Laurie. Est-ce que Thomas s'est pointé, finalement ? (Ou plutôt, est-ce qu'il a osé se pointer en sachant très bien que tu allais y être et que tu n'avais aucune envie de le voir ? Ou pire : s'est-il pointé avec Sarah ? !)

De mon côté, le party chez Édith était très semblable au dernier : plate. Il y avait plein de monde que je n'avais jamais vu de ma vie, et je ne me sentais pas *full* à ma place. Au moins, j'étais accompagnée d'Éloi, alors j'étais moins rejet que la dernière fois. Lol ! On a croisé Mme Parfaite qui en a profité pour envoyer son plus beau sourire à Éloi. J'ai répondu en me collant contre lui et en lui plaquant un baiser sur la joue. Elle m'a dévisagée comme si j'étais la pire des connes, puis elle est allée rejoindre Édith.

Après une heure de platitude intense, j'ai proposé à Éloi de partir. Quand nous sommes allés chercher nos manteaux, nous avons aperçu José en train de *frencher* une fille. J'ai fait une face de dégoût et je m'apprêtais à poursuivre mon chemin quand Éloi m'a arrêtée.

Lui : *Oh, my God* ! Regarde !

Moi : Euh... Non merci ! Je ne porte pas vraiment José dans mon cœur, alors disons que ses activités salivaires ne m'intéressent pas trop...

Lui : Non. Regarde QUI il *frenche* !

J'ai plissé les yeux, mais comme ils se tenaient dans un coin et que la tête de José cachait le visage de la fille, ça m'a pris plusieurs secondes avant de remarquer la couleur de ses cheveux... Des cheveux roux !

Moi : Non ! Ce n'est pas...

Lui : C'est Sophie !

Moi : Mais qu'est-ce qu'elle fait ici avec José ?! C'est un party de secondaire 5 !

Lui : Sophie est la cousine d'Édith, alors j'imagine qu'elle l'a invitée à la fête. Ce que je ne sais pas, c'est pourquoi elle est en train de *frencher* l'ex de sa meilleure amie !

Moi : Ah tiens ! Je pensais que ça ne t'intéressait pas, les potins des autres !

Lui : Je sais, mais là, je suis témoin ! J'avoue que ça me dépasse qu'elle fasse ça à Maude.

Moi : Mets-en ! En plus, je pensais qu'elle tripait sur Alex. Et sur mon frère !

Je m'apprêtais à m'avancer vers eux pour qu'ils sachent que je les avais vus (et causer un malaise pour me venger du reste), mais Éloi m'a bloqué le passage.

Lui : Ne fais pas ça ! S'ils savent que tu sais, ils essaieront de te faire chanter.

Moi : Pourquoi ils me feraient chanter ? Je chante tellement mal. Ce serait un supplice pour tout le monde !

Lui : Non. Chanter comme dans te faire du chantage. (Message à mon cerveau : réfléchir avant de répondre à Éloi. Sans ça, je risque de passer pour une nouille !) Je connais cette gang-là ! C'est mieux que tu gardes l'information pour toi et que tu t'en serves au bon moment.

Moi (en claquant des mains) : Mais oui ! C'est ça ! Tu as encore eu une idée de génie. J'ai trouvé mon scandale ! J'avais déjà vu José se coller contre Katherine, mais je ne voulais pas impliquer Katherine dans tout ça... Mais disons qu'avec la façon dont Sophie me traite depuis le début de l'année, j'ai moins de scrupules.

Quand j'ai parlé de José et de Katherine, j'ai vu Éloi froncer les sourcils.

Moi : Ça va ?

Lui : Oui. C'est quoi, l'histoire de José et Katherine ? Pourquoi ne m'as-tu rien dit ?

Moi : J'ai essayé de t'en parler, mais tu m'as dit que tu n'étais pas intéressé par les potins des autres. En fait, quand je suis allée chez Jeanne la semaine passée, Katherine s'est jointe à nous. José est aussi venu faire un tour, et je trouvais qu'ils se collaient beaucoup. Je me suis dit qu'il se passait peut-être quelque chose entre eux, mais à voir Sophie et José ensemble, je vois que je m'étais trompée.

Lui (d'un air songeur) : Hum… Donc, tu penses que Katherine l'a encore dans la tête après tout ce temps ?

Moi : Je n'ai pas dit ça. Je pense plus qu'il existe une sorte de rivalité entre elle et Maude.

Lui : En tout cas, je la trouverais vraiment conne de retomber dans le panneau.

Moi : Coudonc, es-tu jaloux ? Est-ce que je dois m'inquiéter parce que tu as encore des sentiments pour Katherine ?

Lui (en me prenant dans ses bras) : Ben non, voyons ! Je l'ai vue pendant des mois accrochée à ton frère et ça ne me faisait rien du tout. Mais comme elle m'a trompée avec José l'année dernière, j'avoue que c'est un sujet qui me rend un peu plus sensible.

Je n'ai pas répondu. Je me suis habillée et je l'ai suivi jusqu'à l'arrêt d'autobus (Il m'a raccompagnée chez moi ! C'est gentil, non ?) Je sais qu'il ne me ment pas en ce qui concerne Katherine, parce que c'est vrai que ça n'avait pas l'air de lui faire grand-chose qu'elle sorte avec Félix. Le problème, c'est que je n'avais pas réalisé que l'histoire avec José l'avait autant perturbé. Après tout, elle l'a quand même trompée avec lui, et avec tout ce que Thomas m'a fait vivre avec Sarah Beaupré, je suis bien placée pour le comprendre.

Ce matin, je me suis réveillée avec la ferme conviction que je détenais une information en or ! Après tout, je sais de source sûre (moi-même) que la supposée-meilleure-amie de Maude a *frenché* son ex samedi soir. Je ne sais juste pas trop quoi en faire. Que me suggères-tu ? Je sais que Maude ne se gênerait pas pour clamer l'histoire et en parler à tout le monde, mais ce n'est pas trop mon genre. En plus, je ne veux sentir que je me rabaisse à leur niveau (Éloi a raison sur ce point). Je veux simplement semer le doute pour qu'elles me laissent tranquille et qu'elles sachent que je ne me laisse pas niaiser sans rien faire...

Réponds-moi !!

Léa

xox

À : Léa_jaime@mail.com
De : Marilou33@mail.com
Date : Dimanche 9 février, 15 h 15
Objet : Tempête

Coucou !

Pourquoi, mais pourquoi est-ce qu'il y a une tempête de neige un dimanche ? Miss Météo ne comprend pas que ça ne donne rien ! S'il avait neigé demain, on aurait pu avoir congé, et je n'aurais pas été coincée chez moi toute la journée aujourd'hui ! J'avais vraiment envie de voir JP. :'(! Mes parents ont essayé de me consoler en sortant les vieux jeux de table (genre Monopoly), mais là ça fait déjà deux heures qu'on joue et je suis tannée !

Bon, j'arrête de me plaindre et je te donne les nouvelles !

La soirée de vendredi était géniale... jusqu'à ce que Thomas se pointe. Grrr ! Je ne pensais pas qu'il allait oser s'inviter, mais il est venu nous rejoindre après son travail. Heureusement, il a eu la bonne idée de ne pas traîner sa blonde, mais ça a quand même changé l'atmosphère. On dirait que JP et Seb deviennent plus « machos » quand ils se retrouvent avec Thomas. Genre qu'ils nous accordent moins d'attention à Steph et moi. Sans compter que le chum de Laurie avait l'air *full* intimidé. C'était correct quand il n'y avait que JP et Seb parce qu'on faisait plein d'efforts pour l'intégrer et pour éviter qu'il se sente jeune, mais dès que Thomas est arrivé, les gars ont commencé à parler d'auto et de hockey et je voyais que Laurie se sentait mal à l'aise. Elle et son chum sont partis peu de temps après. J'ai commencé à faire de gros yeux à JP pour qu'il comprenne que je m'ennuyais et que je voulais qu'on passe du temps ensemble, mais il ne m'accordait aucune attention !

Finalement, j'ai décidé de partir (seule) vers 21 h 15. JP m'a raccompagnée jusqu'à la porte.

JP : Pourquoi tu pars aussi tôt ?

Moi : Mes parents veulent que je sois à la maison dans quarante-cinq minutes, et tant qu'à m'ennuyer toute seule, je préfère y aller tout de suite.

JP : Ben là ! Tu n'es pas toute seule. Steph est là !

Moi : Oui, mais Steph, je la vois tout le temps. J'étais venue ici pour te voir, toi ! Pas elle !

JP : Je m'excuse, Marilou, mais c'est normal aussi que j'aie envie de voir mes amis.

Moi : Ben oui ! On sait bien ! Tes amis passent toujours en premier. Ça ne me surprendrait même pas que tu passes la Saint-Valentin en tête à tête avec Thomas, et la soirée de mon anniversaire avec Seb !

JP : Tu exagères ! J'essaie juste de mélanger tout le monde. Me semble que tu pourrais faire un effort, toi aussi ! Tu n'as pas adressé la parole à Thomas de la soirée.

Moi (en haussant le ton pour être bien certaine que Thomas m'entende) : Mais je m'en fous de Thomas ! Penses-tu vraiment qu'après ce qui s'est passé, j'ai envie d'être gentille avec lui ? Si tu veux être ami avec lui, c'est *ton* problème, mais ne m'implique pas là-dedans. Et n'essaie surtout pas d'inclure Sarah dans notre groupe, parce que tu devras le faire sans moi ! Est-ce que c'est clair ?

JP (rouge de honte et de colère) : Oui. Bon, il vaut mieux que tu y ailles. On en rediscutera à un autre moment.

Et ce n'est pas fini ! Hier matin, Steph m'a appelée pour me dire que Sarah était venue les rejoindre après mon départ. Peux-tu croire ? Il attendait juste que je parte pour l'inviter ! J'ai dit à Steph de t'écrire pour te raconter tous les détails, parce que j'avais peur d'en oublier !

Je n'en reviens pas que Sophie ait embrassé José ! Mais qu'est-ce qu'elles ont toutes à lui courir après ? C'est étrange qu'un groupe de si bonnes amies se partagent le même garçon et se jouent dans le dos à ce point-là, tu ne trouves pas ?

Laisse-moi résumer ! Maude et José sortent ensemble depuis genre... toujours, mais leur relation a toujours été mouvementée. Lors de l'une de leurs fameuses chicanes, José a décidé de tromper Maude avec son amie Katherine. Maude s'est vengée en embrassant Éloi, qui était alors le chum de Katherine. Les choses ne sont jamais redevenues comme avant entre les deux amies, mais elles font semblant de rien. À peine un an plus tard, Sophie, l'une des disciples les plus coriaces de Maude, qui connaît la situation et qui sait à quel point cette dernière a souffert lors de l'incartade de José, décide tout de même de faire fi (wow !) des sentiments de sa *best* et de *frencher* José moins d'une semaine après qu'il a laissé Maude. Sérieusement, je suis bouche bée. Des drames comme ça, ça n'existe pas dans notre village. Lol !

Si tu veux mon avis, je crois aussi que tu ferais mieux d'utiliser l'histoire de Sophie pour te venger. Mon idée d'article sur les tyrans n'est pas mal non plus... c'est à toi de voir ! Parles-en à Éric pour savoir quelle chronique il peut te laisser écrire lors du prochain numéro, et on verra de quelle façon on peut gérer le tout !

Est-ce qu'il neige à Montréal ? Est-ce que Steph t'a écrit ?
Appelle-moi plus tard ! Je m'ennuie !
Lou xox

À : Léa_jaime@mail.com
De : Stephjolie@mail.com
Date : Dimanche 9 février, 16 h 10
Objet : Sarah « la vedette »

Coucou, Léa !
J'espère que tu vas bien et qu'il fait plus beau chez vous que chez nous. Comment ça va, avec Éloi ? Marilou m'a dit qu'il était super gentil !!! Moi, ça va super bien avec Seb ! On ne se chicane tellement jamais que je n'ai pas grand-chose à te raconter là-dessus. Lol ! La seule affaire qui m'énerve (Lou a dû t'en parler), c'est quand il est avec ses amis et qu'il joue à l'indépendant !

Bref, je t'écris surtout pour te raconter ce qui s'est passé vendredi soir après le départ de Marilou (elle insiste pour que ce soit moi qui te le raconte, car elle a peur d'oublier des détails. Lol!).

Quand elle est partie, Thomas nous a demandé si ça nous dérangeait que Sarah vienne nous rejoindre. Évidemment, les gars ont répondu qu'il n'y avait aucun problème. Thomas s'est tourné vers moi, et j'ai simplement haussé les épaules. (Je n'ai pas le caractère de Marilou, moi!) Sarah est arrivée environ quinze minutes plus tard.

Premier détail: elle s'est teint les cheveux en blond platine! J'ai fait un saut en la voyant! Personnellement, je trouve que ça ne lui fait vraiment pas bien. (Et soyons honnêtes, c'est louche qu'elle se colore en blonde. Je pense qu'elle essaie de te ressembler.)

Deuxième détail: elle a un peu changé de style. Je la trouve plus «rockeuse» qu'avant. Je ne sais pas si c'est parce qu'elle sort avec un gars qui travaille dans un garage et qu'elle veut avoir l'air de la fille sombre et mystérieuse, mais il me semble qu'avant, elle ne portait pas des vestes en cuir et des colliers à pics!

Troisième détail: elle a un tatouage qui dit «*troue love*» sur son épaule. Je suis peut-être nulle en anglais, mais allo?!! *Troue love*! Ça s'écrit *True love*, espèce de cruche ! Un tatouage avec une faute ! Faut le faire !!! Je lui ai demandé (d'un air super innocent – je me suis dit que comme je ne pouvais pas adopter l'attitude de *bitch* de Marilou (ce n'est pas dans mon ADN), le mieux à faire était de feindre d'être son amie, car ça me permettrait d'obtenir des informations top secrètes et de vous les dévoiler par la suite) si ça représentait sa relation avec Thomas. Au début, elle était avare de détails, mais j'ai réussi à lui délier la langue ! Mouahaha !

Moi : C'est pour Thomas, ton tatouage ?

Sarah (en me regardant d'un air suspicieux) : C'est personnel.

Moi (d'un air hypocrite) : Je trouve ça cool, en tout cas. Je sais que plusieurs personnes disent que c'est con de se faire tatouer, mais moi, je crois que c'est un beau témoignage d'amour.

Sarah : Je pense comme toi. C'est pour ça que je me suis fait tatouer.

Moi : Ce qui est cool, c'est que même si tu changes de chum, tu finiras par rencontrer ton *vrai amour* !

Sarah : Pourquoi je changerais de chum ? !

Moi : Non, je dis ça comme ça. Dans le sens où même si tu t'étais fait tatouer en l'honneur de Jonathan, aujourd'hui, le message s'applique aussi à Thomas, non ?

Sarah : Mets-en. Thomas et moi, c'est pour la vie.

Moi : Ah oui ? Tu penses que tu l'aimes plus que Jonathan ?

Sarah : Oui ! Thomas et moi, on se comprend tellement. On est comme des âmes sœurs.

Moi (avec un regard si sincère qu'elle ne s'imagine pas que je lui soutire des informations pour les révéler au camp ennemi) : Des fois, est-ce que t'as peur qu'il soit encore en amour avec Léa ?

Sarah (elle a hésité longtemps avant de me répondre) : Je ne sais pas. Il ne me parle jamais d'elle. Il m'en parlait dans le temps où nous étions des amis, mais depuis qu'on sort ensemble, plus un mot. Mais bon, Léa est loin, et Thomas est juste à moi. Depuis le temps que je l'attends...

Moi : Ah oui ? Ça fait longtemps que tu tripes sur lui ?

Sarah : Depuis toujours... Dès que je l'ai vu, j'ai su qu'on allait finir ensemble. C'était écrit dans le ciel...

Après ça, elle m'a cassé les oreilles pendant vingt minutes sur l'alignement des astres et l'astrologie, ce qui m'amène à mon quatrième point.

Quatrième détail : elle a beau avoir un look de rockeuse, elle a l'air d'une fille vraiment ésotérique qui croit au destin et aux signes de l'univers. Je pense qu'elle se cherche un peu. Tu vas me dire que tous les ados se cherchent, mais dans le cas de Sarah Beaupré, c'est pire !

J'ai finalement réussi à attirer l'attention de Seb et à lui faire signe de me sauver. On est partis tout de suite après, mais j'ai remarqué que Thomas était un peu gêné et qu'il ne l'a pas touchée de la soirée. Je ne sais pas si c'est parce qu'il a honte d'être avec elle ou parce qu'il a peur que je te raconte tout, mais il se tenait bien loin de nous !

J'espère que mon histoire a satisfait ta curiosité !

Ah oui : Marilou m'a dit que tu allais venir nous visiter pendant la semaine de relâche. J'ai très hâte de te voir ! On va se prévoir plein d'activités de filles. Et comme dit Lou, on va tout faire pour éviter Thomas ! Je pense qu'il vaut mieux que tu ne le croises pas : il a causé assez de dommages comme ça ! ;)

Gros bisous, et à très bientôt !
Steph

À : Marilou33@mail.com
De : Léa_jaime@mail.com
Date : Mardi 11 février, 19 h 57
Objet : Tout plein de choses à te dire !

Salut !
Première des choses : dans dix jours c'est ta fête !!
Je n'arrive pas à croire que je ne serai pas là pour la célébrer en direct avec toi. :(Je te promets qu'on va se reprendre dès mon arrivée.

Parlant de ça, comme j'ai des examens au retour de la semaine de relâche, je préfère y aller au début des vacances, ce qui veut dire que je serai chez toi du samedi 1er mars au mardi 4 mars ! Pas mal, non ? J'ai essayé de convaincre mes parents de revenir le mercredi ou le jeudi, mais ils insistent pour que je passe le reste de la semaine à la maison et qu'on fasse des trucs en famille (ils ont pris congé le jeudi et le vendredi) à Montréal. C'est bon pour toi ?

Aujourd'hui, j'ai rejoint Éloi dans le local du journal et je lui ai annoncé que j'allais te visiter, mais il n'a pas eu la réaction à laquelle je m'attendais.

Lui (d'un air surpris et distant) : Tu retournes là-bas ?
Moi : Juste quelques jours pour voir Marilou.
Lui (d'un air suspicieux) : Juste Marilou ?
Moi : Ben, je vais aussi voir Laurie et Steph.
Lui (d'un air mécontent) : Ce n'est pas ce que je veux dire.
Moi : Euh... Je ne comprends pas.
Lui (d'un air accusateur) : Thomas, tu vas le voir, lui aussi ?
Moi : Crois-moi, je vais tout faire pour l'éviter !
Lui (d'un air songeur) : Hum...
Moi : Quoi ? Tu ne me crois pas ? Tu as peur que je voie Thomas ?
Lui (d'un air triste) : Un peu... C'est quand même récent, votre affaire. Et je sais à quel point tu as eu de la peine quand ça s'est terminé.

Moi : Oui, mais je n'ai plus de peine maintenant. Et tu sais pourquoi ? Parce que je suis avec toi. Et c'est toi que j'aime !

On s'est embrassés, mais j'ai senti qu'il était un peu froid. Je me suis sentie mal, parce que ça m'a replongée dans toute mon histoire avec Thomas, et j'ai repensé aux courriels échangés avec lui et à tout ce que j'avais caché à Éloi. T'imagines, s'il savait ?

Bref, je me suis dit qu'il réagissait peut-être comme ça à cause de Katherine et de ce qu'elle lui a fait vivre. Quand quelqu'un te trompe, ça te rend méfiant, non ? Je lui ai posé la question, mais il a tout nié. Il m'a dit que c'était vraiment juste « parce que ma séparation était récente ».

J'allais lui poser plus de questions, mais Éric est arrivé et nous a interrompus pour nous parler du prochain numéro du journal.

Éric : Léa, après tout ce qui s'est passé, je préfère que tu sois discrète dans le prochain numéro.
Moi : Euh... Ça veut dire quoi, discrète ?
Éric : Ça veut dire que je préfère que tu t'occupes d'une chronique qui fera moins jaser les gens de l'école.
Moi : Ben là ! C'est exactement ce que Maude veut ! Depuis quand tu prends son parti ? Tu ne me fais pas confiance ?

Éric : Ce n'est pas ça la question... Je veux juste être capable de publier un numéro sans polémique.

Moi : Sans quoi ?

Éloi (tout bas, pour m'expliquer) : Il veut dire sans fracas et sans drame.

Moi (d'un air sarcastique) : Donc quoi ? Tu veux que je m'occupe de la rubrique des objets perdus ?

Éric : Non... Mais tu pourrais t'occuper des horoscopes ?

Éloi : Ben voyons, Éric ! Léa est trop talentueuse pour que tu lui donnes les horoscopes.

Moi (en donnant un coup de coude à Éloi) : Non, non ! C'est bon, je vais les faire.

Éric : Super ! Ça donnera le temps à Maude de se calmer.

Après la réunion, Éloi m'a rejointe pour savoir si j'étais tombée sur la tête d'avoir accepté une chronique aussi nulle. Je lui ai alors fait part de mon idée de génie : je cherchais justement une façon efficace, mais plutôt discrète de semer le doute dans l'esprit de Maude en faisant mention d'un autre scandale. Comme je sais très bien que les nunuches lisent l'horoscope tous les mois (en fait, je crois qu'elles ne lisent que ça), je pourrai passer mon message à travers les prédictions du mois !

Genre pour Maude : « Attention ! Une amie rousse tente de vous voler votre ex !! »

Ingénieux, n'est-ce pas ? Comme je sais que la majorité des élèves de l'école lisent l'horoscope pour se divertir et que mon nom paraîtra sous la chronique, tous les ingrédients sont réunis pour faire partir la machine à rumeurs ! Je suis très fière de mon plan, et j'ai très hâte de remettre mon texte (en fin de semaine au plus tard) et que le journal soit publié la semaine prochaine pour qu'on arrête de me dévisager. (Non, ça ne s'est pas amélioré ! Au moins, les surveillants sont super vigilants depuis l'incident du casier, alors personne n'ose refaire de graffitis !)

Tu me diras ce que tu en penses !! Je dois vite retourner à mon ordi… Mon oral d'anglais est vendredi, et je n'ai pas encore fini. Juste à y penser, j'ai mal au ventre. :(
Léa

P.-S. : J'ai reçu le courriel de Steph. J'avoue que je l'ai relu quatre fois pour être sûre de bien comprendre. Peux-tu me dire ce que Thomas fait avec une fille comme ça ? Elle est tellement différente de moi. Si elle croit autant aux anges et aux signes astrologiques, je vais m'arranger pour lui écrire un bel horoscope, moi… Grrr ! En plus, je suis allée fouiner sur sa page Facebook (ouverte à tous), et son statut était « J'aime tellement mon chum ! » Ben voyons ! Calme-toi le pompon !

Chapitre 7
Aux grands maux, les grands moyens

Le Blogue de Manu

Inscris un titre : Contre-attaque

Écris ton problème : Salut, Manu ! Aujourd'hui, je t'écris pour te parler d'un problème d'intimidation... Du moins, je crois qu'on peut appeler ça comme ça. J'imagine que tu te souviens de la bande de nunuches qui me rendent la vie impossible. Ce mois-ci, Maude (la reine des nunuches) a même décidé de lancer une rumeur sur moi à propos d'un article que j'avais écrit dans le journal étudiant. Elle a osé dire aux élèves de l'école que j'avais plagié son texte, alors que ce n'est pas vrai du tout ! Elle a monté tout le monde contre moi, et quelqu'un a même écrit « copieuse » sur mon casier.

Heureusement pour moi, j'ai un chum loyal et quelques amis sur qui je peux compter, mais j'avoue que je trouve ça difficile de devoir composer avec une gang de filles qui me détestent autant. J'ai lu tes réponses qui concernent l'intimidation, et tu dis qu'il vaut mieux dénoncer les agresseurs, mais dans ce cas-ci, je n'ai aucune preuve que c'est Maude la vandale, et je crois que les professeurs font déjà leur possible pour freiner ses élans de tyran.

J'ai aussi lu qu'il ne fallait pas se laisser faire. J'ai cru bon suivre ce conseil en contre-attaquant pour attirer l'attention ailleurs que sur moi. La vérité, c'est que j'ai découvert un secret sur cette gang-là, et que je pensais éveiller les soupçons de Maude en lui donnant des indices dans les horoscopes que je dois écrire pour le journal. Je trouve ça plutôt ingénieux, puisque je sème le doute sans tomber dans les coups bas. Cependant, je dois admettre qu'une petite partie de moi se sent un peu angoissée par tout ça. Je ne comprends pas comment j'en suis arrivée là, ni pourquoi ces filles s'acharnent sur moi. Je suis nouvelle à l'école et je ne crois pas leur avoir fait de mal. Je sais que des fois, les gens agissent comme ça sans raison, simplement parce qu'ils sont jaloux ou parce qu'ils ont besoin de rabaisser les autres pour se sentir en contrôle, mais j'avoue que je n'ai jamais pensé me retrouver dans une telle situation.

Je n'ai pas vraiment de question... Je crois que je voulais simplement me confier à quelqu'un sans me sentir jugée. Merci, Manu, pour ce que tu fais pour nous !
Bisous,
Léa xox

Manu répond à deux questions par semaine. Tu seras peut-être choisie...

Félix (en ligne): Hey! Je peux te parler deux minutes?

21 h 45

Léa (en ligne): NON! Je pratique mon oral et ça va TRÈS mal! Comment tu prononces «miroir»?

21 h 45

Félix (en ligne): Euh... Mi-roir.

21 h 45

Léa (en ligne): NON! En anglais, je parle! C'est quoi, cette histoire de «*mirror*»! Ce n'est tellement pas clair! Le *rorr* est impossible à prononcer! JE CAPOTE!

21 h 46

Félix (en ligne): Eh bien, tu as juste à ne pas le dire!

21 h 46

Léa (en ligne): Mais non! Je parle d'un château qui contient plein de miroirs! Je ne peux pas juste oublier le mot!

Félix (en ligne): Dis «*glass*» à la place. Ton prof ne va pas en mourir.

21 h 47

Léa (en ligne): Oh, oui! C'est bon, ça! Merci, Félix! J'aime ça quand tu sers à quelque chose! *Bye*!

21 h 47

Félix (en ligne): Hey! Attends! Je voulais te demander quelque chose, moi aussi.

21 h 48

Léa (en ligne): Tu as trois secondes. Et si c'est pour m'inviter à un autre party chez Édith la rebelle, tu peux oublier ça!

21 h 48

Félix (en ligne): Non, ce n'est pas ça (c'est vrai qu'il était plate, son dernier party). En fait, je voulais que tu me donnes des nouvelles de Katherine.

21 h 49

Léa (en ligne): Pourquoi tu veux de ses nouvelles?

Félix (en ligne): Ben tu sais, on est quand même sortis ensemble pendant presque trois mois... et je l'aimais beaucoup. Ce n'est pas parce qu'on n'est plus ensemble qu'elle n'est plus importante pour moi... Et elle me manque, aussi.

21 h 50

Léa (en ligne): T'es sérieux?

21 h 51

Félix (en ligne): Absolument. Je veux juste savoir si elle va bien. Je sais que ce n'est pas super ce que je lui ai fait... et je ne veux pas qu'elle reste traumatisée.

21 h 51

Léa (en ligne): Tu ne te prends pas pour n'importe qui, Félix Olivier! Sans blague, je pense qu'elle a encore de la peine, mais que ça va mieux de jour en jour.

21 h 52

Félix (en ligne): Est-ce qu'elle a rencontré quelqu'un?

Léa (en ligne): Non, je ne crois pas. Coudonc, c'est quoi, l'affaire? Tu es désespéré parce que tu n'as personne pour la Saint-Valentin? Eh bien, oublie-la, Félix. Elle ne voudra jamais revenir avec toi.

21 h 54

Félix (en ligne): Ça, ça reste à voir... Mais c'est plus compliqué que ça... Je regrette de l'avoir trompée. Je sais qu'elle m'en veut, et je la comprends. En tout cas, je te laisse travailler. *Good luck for tomorrow!*

À : Marilou33@mail.com
De : Léa_jaime@mail.com
Date : Vendredi 14 février, 11 h 12
Objet : ❤

Salut !

Tu sais quoi ? Il existe un dieu pour les filles poches en anglais !! Ce matin, je me suis réveillée super tôt avec une boule dans l'estomac. J'étais tellement stressée par mon exposé oral que je sentais que j'allais m'évanouir avant même de me rendre à l'école ! Puis j'ai regardé dehors, et j'ai vu un blizzard tellement intense qu'on n'arrivait pas à voir de l'autre côté de la rue !

Mon père a ouvert la radio pour savoir si les écoles étaient fermées (ça m'a rappelé notre primaire quand chacune se postait devant sa radio pour savoir si on avait congé !). Eh oui !! Toutes les écoles de ma Commission scolaire sont fermées pour la journée. Ça veut dire que je n'ai pas à faire mon exposé oral aujourd'hui, et que je peux profiter de toute la fin de semaine pour m'exercer !!

Aujourd'hui, c'est aussi la Saint-Valentin ! Ma mère nous a acheté des petits cœurs en chocolat que j'ai déjà engloutis en guise de petit-déjeuner (allo, le mal de cœur). Mes parents sont quand même allés travailler, ce qui veut dire que Félix et moi avons la maison pour nous tout seuls !

Félix m'a nonchalamment (merci, Éloi) demandé si je comptais inviter «mes amies». (Je crois qu'il espérait que j'invite Katherine. Il n'arrête pas de me parler d'elle depuis quelques jours.) Mais j'ai dit que je préférais être seule avec mon chum. Mon père a entendu notre conversation et m'a interdit d'être seule avec mon Éloi. J'ai donc téléphoné à Annie-Claude, qui ne peut pas venir à cause de la température. J'ai ensuite appelé Jeanne, qui a accepté de passer la journée ici à condition que je réussisse à convaincre Katherine de se joindre à nous pour éviter de se retrouver seule avec Éloi et moi (j'avoue que je la comprends).

À ma grande surprise, Katherine a accepté mon invitation ! Quand je lui ai dit que Félix allait être ici, elle m'a répondu qu'elle se sentait prête à lui faire face et qu'il était temps de faire la paix avec le passé. Pas besoin de te dire que mon frère était fou de joie quand je lui ai dit que Katherine allait se joindre à nous. Félix m'a dit qu'il avait invité Édith et deux de ses amis de secondaire 5 que je ne connais que de vue. Mon père vient de partir pour le travail après m'avoir fait promettre de ne pas m'enfermer seule dans ma chambre avec Éloi. Je ne comprends pas pourquoi il s'en fait tellement pour moi. Tu sais très bien que je ne suis pas prête à aller plus loin avec Éloi, alors pourquoi il ne me fait pas confiance ?

Bon, je vais aller prendre ma douche avant que tout le monde arrive ! Vive les tempêtes de neige et vive la Saint-Valentin !

Léa xox

À : Léa_jaime@mail.com
De : Marilou33@mail.com
Date : Vendredi 14 février, 17 h 10
Objet : JP s'est ouvert la trappe !

Salut !

J'espère que la journée se passe bien avec ton amoureux ! ♥ Je sais que ton père t'énerve, mais bon, dis-toi que c'est son rôle de te protéger. Il ne sait pas, lui, que tu ne veux pas aller plus loin. Je comprends quand même ta frustration, parce que mes parents sont pareils avec moi. Pas de JP dans ma chambre à coucher ! Lol !

Parlant de JP, cette semaine, je lui avais annoncé que tu comptais venir pendant la semaine de relâche sans prendre la peine de lui faire promettre de ne pas en parler à Thomas (j'étais certaine qu'il avait compris que c'était secret). Eh bien, tu sais quoi ? Ton ex est allé demander à JP s'il avait des nouvelles de toi, et mon niaiseux de chum lui a avoué que tu venais dans deux semaines ! J'ai fait tout un sermon à JP pour lui expliquer l'importance de vous tenir loin l'un de l'autre (je t'aime, mais je ne te fais pas confiance en présence de Thomas), mais là, Thomas sait tout. Léa, je t'avertis d'avance : je ferai tout en mon pouvoir pour que tu l'évites et pour que tu ne voies même pas le soupçon de son ombre, est-ce que c'est clair ? Lol ! Je n'imagine même pas dans quel état Sarah Beaupré doit être. Déjà qu'elle se sent menacée quand tu es à des centaines de kilomètres d'ici !

Ici, il n'y a pas de tempête, juste de la grisaille qui donne envie d'être en été ! Au moins, ma fête approche (youpi 1 !) et c'est la Saint-Valentin (youpi 2 !) ! JP m'invite au restaurant ce soir !! (On va manger de l'italien chez Gepetto. Ce n'est pas ce qu'il y a de plus chic, mais c'est mieux que la cantine chez Ti-Paul ! Lol !) D'ailleurs, je dois aller me préparer. Je me suis acheté un chandail en laine (quand même moulant) rouge pour l'occasion. J'ai hâte qu'il fasse assez chaud pour mettre des robes. Je suis tannée de l'hiver !

Tu m'écriras pour me donner des nouvelles de ta journée. J'ai un entraînement de natation demain matin, mais j'essaierai de me connecter en après-midi si je n'ai pas reçu de tes nouvelles d'ici là.
Joyeuse Saint-Valentin !
Lou xox

À : Marilou33@mail.com
De : Léa_jaime@mail.com
Date : Samedi 15 février, 10 h 34
Objet : Que d'émotions !

Salut !

Je ne peux pas attendre à cet après-midi pour te raconter tout ce qui s'est passé dans notre maison de fous. Lol !

Hier, les amis de Félix sont arrivés en premier. Édith avait loué deux films d'action, et ils se sont installés dans le salon avec du pop-corn. (Je dois avouer que l'un de ses deux amis est extrêmement *cute*. Quand il m'a saluée, j'ai même bafouillé en guise de réponse... et je sais maintenant que, quand je bafouille, c'est parce que je suis vraiment nerveuse !)

Éloi est ensuite arrivé et il a salué tout le monde. On s'est installés dans la salle de télé en haut pour avoir un peu d'intimité (c'est-à-dire s'embrasser sans se faire dévisager par mon grand frère). Ensuite, on a sonné à la porte, et quand je suis descendue, j'ai vu que Félix avait déjà fait entrer Katherine. Ce qui m'a étonnée, c'était son assurance à elle. Ça n'avait rien à voir avec la fille déchirée et attristée d'il y a deux semaines !

Félix : Salut, Katherine. Je suis content de te voir...
Katherine : Salut, Félix ! Moi aussi, je suis contente ! Tu as l'air bien. (Elle a étiré la tête vers le salon.) Salut,

Édith ! Salut, Mathieu ! Salut, Thomas ! (Ironie du sort, le gars vraiment *cute* s'appelle aussi Thomas !)

Félix (d'un air surpris) : Euh... Tu es contente de me voir ? Wow, ça me fait plaisir de savoir ça... En fait, je pensais que tu m'en voulais encore...

Katherine : Mais non ! C'est oublié, tout ça. On n'était pas fait pour être ensemble, c'est tout ! Bon, je vais aller rejoindre mes amis. À plus tard, tout le monde !

Puis elle a tourné la tête d'un air dramatique en faisant virevolter ses longs cheveux noirs. Je te jure, je pensais que Félix allait faire une syncope ! Il s'attendait sûrement à voir une fille toute fragile et à devoir s'excuser pour la énième fois, mais à la place, il découvrait une Katherine que je n'avais jamais vue auparavant : une Katherine qui avait de l'assurance et qui lui disait qu'ils n'étaient pas faits pour être ensemble !

Quand Jeanne est arrivée, on s'est installés en haut pour discuter. (Éloi en a profité pour terminer son article. Visiblement, les potins de filles, ça ne l'intéresse vraiment pas.)

Moi : Dis donc, Katherine, qu'est-ce qui t'est arrivé ? Il me semble que je te sens différente d'il y a deux semaines !

Katherine : Mets-en ! Après avoir pleuré dans vos bras pendant une heure, j'ai décidé de me reprendre en main.

Jeanne : Wow ! En tout cas, tu es plus forte que je pensais !

Katherine : J'ai lu des livres sur les peines d'amour et ça m'a aidée. J'ai pleuré toutes les larmes de mon corps, puis j'ai décidé que c'était assez. Je mérite mieux que ça, quand même ! Et puis, je pense que je suis plus belle quand j'ai l'air forte que quand j'ai les yeux bouffis et que tout le monde me regarde avec de la pitié dans les yeux.

(On a éclaté de rire.)

Moi : En tout cas, ça a l'air de faire tout un effet à Félix.

Katherine : Tu penses ?

Moi : Mets-en ! Lui as-tu vu l'air quand tu lui as répondu que tout ça, c'était du passé ? Je pense qu'il était sur le point de s'évanouir !

Katherine : Ouais... J'ai aussi décidé de changer d'approche avec lui. J'en ai assez qu'il me prenne pour la jeune cruche.

Jeanne : Et s'il te le demandait, est-ce que tu lui accorderais une deuxième chance ?

Katherine : Je ne sais pas si je pourrais lui faire confiance... Mais une chose est certaine : même si on revenait ensemble, les choses ne seraient plus comme avant. Je n'accorde pas mon *luv* à tout le monde, moi. Éloi en sait quelque chose. Il faut d'abord que le gars me prouve qu'il en vaut la peine. La première fois, j'ai cédé super facilement avec Félix parce qu'il est beau et qu'il est en secondaire 5, mais ça ne se passera plus comme ça. Je mérite d'être traitée comme une princesse.

(J'ai d'ailleurs remarqué qu'elle avait posé deux épingles sur son sac d'école : une avec des brillants qui disait « *luv* » et l'autre qui disait « princesse » !)

Jeanne et moi avons échangé un regard. Je ne sais pas d'où sort cette « nouvelle Katherine », mais elle ne se prend pas pour n'importe qui ! En tout cas, connaissant mon frère, il aura certainement envie de la reconquérir et de lui prouver qu'il a changé, simplement parce qu'elle lui semble maintenant inatteignable !

Éloi est finalement venu se joindre à nous, puis nous sommes descendus au salon pour écouter le deuxième film qu'Édith avait loué. J'ai remarqué que Félix n'arrêtait pas de regarder en direction de Katherine, et que cette dernière battait des cils en faisant semblant de ne rien voir. Thomas 2 était assis à côté d'Édith et lui massait les épaules (chanceuse). Éloi s'est installé par terre et je me suis assise entre ses jambes pour qu'il me tienne chaud.

Tout allait bien jusqu'à ce que mon père rentre du travail. Le film n'était pas encore terminé, et j'ai vu qu'il avait l'air mécontent que je sois collée contre Éloi. Il me semble qu'il y a des limites, non ? Il n'était pas si intense quand je sortais avec Thomas !

Après le film, ma mère est arrivée et les amis de mon frère sont partis en même temps que Jeanne et

Katherine (Félix avait l'air déçu). C'est à ce moment-là que j'ai perdu le contrôle de la situation.

Ma mère : Je comptais faire une lasagne pour souper. Éloi, veux-tu rester souper avec nous ?

Moi : Euh... Non. C'est-à-dire que, comme c'est la Saint-Valentin et que c'est vendredi, Éloi et moi avions prévu aller souper au restaurant. Sûrement au thaï qui est près de la maison.

Mon père : Hors de question que vous sortiez à cette température-là. C'est trop dangereux.

Moi : Mais papa, la tempête est presque finie !

Ma mère : C'est vrai, ça.

Mon frère : Moi, je veux de la lasagne.

Mon père : Ça ne change pas que les rues sont trop enneigées pour circuler. Vous n'arriverez jamais à vous balader à pied, non plus. Je préfère que vous restiez souper à la maison.

Moi : Euh... Genre que tu veux qu'Éloi soupe avec nous ?

Mon père : Oui.

Moi : Le jour de la Saint-Valentin ?

Mon père : Oui.

J'ai regardé ma mère, qui m'a fait signe de laisser tomber. J'étais vraiment déçue, et plutôt en colère contre mon père. Depuis quand il me prend pour une enfant ? Je vais avoir quinze ans dans deux mois moins un jour, alors il me semble qu'il pourrait me donner un peu plus de liberté, non ?

Je me suis excusée auprès d'Éloi, qui m'a dit de ne pas m'en faire et qu'il comprenait que mon père se fasse du souci pour moi. Il a accepté de souper avec nous, mais c'était (très) désagréable parce que mon père n'arrêtait pas de lui poser des questions sur sa vie et sur ses plans d'avenir (qui connaît ses plans d'avenir à quinze ans ? !), et Félix n'arrêtait pas de me questionner à propos de Katherine. C'était probablement la Saint-Valentin la moins romantique au monde !

En partant, Éloi m'a offert une carte qu'il avait cachée dans son manteau. C'était tout simple : un petit oiseau avec une fleur qui disait « Je t'aime », mais ça m'a vraiment fait plaisir ! Puis il a sorti une petite boîte de sa poche. Avoir su qu'il m'offrirait un cadeau, j'aurais fait un effort, moi aussi ! J'ai ouvert la boîte et j'ai découvert une jolie chaîne en argent avec un pendentif ayant la forme de la lettre L.

Moi : Éloi ! Elle est super belle ! Tu n'aurais pas dû. Je me sens *full* mal, parce que je ne t'ai rien acheté, moi.
Éloi (en attachant la chaîne autour de mon cou) : Ce n'est pas grave ! Je l'ai achetée parce que quand je l'ai vue, j'ai tout de suite pensé à toi.
Moi : Merci, Éloi. Je t'aime, moi aussi. Et merci d'avoir tenu le coup malgré l'interrogatoire de mon père. Je ne sais pas ce qui lui arrive.
Éloi : C'est correct ! Il va me falloir pas mal plus que ça pour me faire peur.

On s'est embrassés et il est parti. Ensuite, je suis montée à ma chambre parce que je n'avais aucune envie de parler à mes parents après le souper infernal qu'ils venaient de me faire subir.

Comme ma mère a le don de lire dans mes pensées, elle est venue frapper à ma porte quelques instants plus tard.

Moi : Qu'est-ce qu'il y a ? Je préférerais être seule, en ce moment.

Ma mère : Je voulais m'excuser pour ton père... Je sais qu'il y a été un peu fort avec Éloi. Mais tu sais, j'en ai discuté avec lui, et je pense qu'il cherche simplement à te protéger. En tout cas, tu dois savoir qu'il n'agit pas comme ça pour te rendre la vie impossible.

Moi : Mon œil ! Il m'a humiliée devant mon chum !

Ma mère : Mais non. Je suis sûre qu'Éloi comprend que ton père s'inquiète pour toi.

Moi : Mais il s'inquiète de quoi ? Je suis enfin heureuse ici. Ce n'est pas ce qu'il voulait ?

Ma mère : Oui, mais tu as aussi un chum sérieux, et il ne voudrait pas qu'il t'arrive quelque chose... On a vu à quel point tu as souffert avec Thomas, tu comprends ?

Moi : OK... Admettons que ça, je peux comprendre, mais pourquoi il me fait des discours pour m'empêcher d'être seule avec Éloi ?

Ma mère : Je pense qu'il ne voudrait pas que tu sautes des étapes, ni que tu fasses des choses si tu ne te sens pas prête. Je sais que tu as plus de facilité à discuter de ces choses-là avec moi, et je te fais confiance, mais tu dois comprendre que, des fois, ton père te voit encore comme une petite fille, et qu'il ne sait justement pas comment s'y prendre avec toi... ou plutôt avec la femme que tu es en train de devenir.

Moi : Bon, eh bien tu pourras lui dire d'arrêter de s'en faire ! Je ne compte pas faire des bébés à quinze ans, maman.

Ma mère : Quatorze ans...

Moi : Presque quinze ! Donc, dis-lui d'arrêter de s'inquiéter pour moi, OK ? Je sais ce que je fais ! Et s'il y a quoi que ce soit, je promets de venir t'en parler, OK ?

Ma mère : OK. Merci, Léa. Et j'adore ta chaîne. Je pense qu'Éloi t'aime beaucoup.

Elle est partie en me faisant un clin d'œil. Je comprends que mon père se fasse du souci pour moi, mais je me sens toujours plus à l'aise de régler les conflits avec ma mère. C'est génétique, je pense !

Bon, assez écrit ! Je me mets au boulot : je dois rédiger mes horoscopes et pratiquer mon exposé oral ! J'ai un cours d'anglais lundi, et je suis certaine que le prof voudra nous faire reprendre les exposés de vendredi.

Je t'envoie les horoscopes dès que j'ai terminé !
Gros bisous,
Léa xox

À : Léa_jaime@mail.com
De : Marilou33@mail.com
Date : Dimanche 16 février, 11 h 18
Objet : *Team* Éloi !!!

Bon, je sais que tu le savais déjà, mais après avoir vu la photo de la chaîne qu'Éloi t'a offerte, je suis encore plus attachée à lui ! Attention : tu as de la compétition ! Lol !

C'est bien tout ce qui nous manquerait : tomber amoureuses du même garçon !! Heureusement que la distance nous en empêche (à moins que je tombe amoureuse de Thomas, mais je peux t'assurer que ça n'arrivera jamais).

J'attends que tu m'envoies tes horoscopes, mais en attendant, je me devais de te raconter quelque chose. Ce matin, Laurie m'a appelée pour me dire qu'elle avait vu Sarah et Thomas par hasard hier soir au cinéma. Son chum et elle sont tombés sur eux alors qu'ils s'apprêtaient à aller voir un film. Quand Laurie est allée à la salle de bains, Sarah l'a suivie pour lui soutirer des informations sur ta venue ici. Elle est folle !! Laurie m'a dit qu'elle avait l'air dans tous ses états ! Je te fais un petit résumé de ce qu'elle m'a raconté.

Sarah : T'es amie avec Léa Olivier, non ?
Laurie : Oui, pourquoi ?

Sarah : Et c'est vrai qu'elle s'en vient ici pendant la semaine de relâche pour essayer de reprendre avec *mon* chum ?

Laurie : Euh, non. Qui t'a dit ça ?

Sarah : Marilou, qui en a parlé à JP, qui en a parlé à Seb, qui en a parlé à Steph, qui en a parlé à Alyson, qui en a parlé à Roxanne, qui en a parlé à Kassandra, qui m'en a parlé.

Laurie : Je pense que le message s'est mal rendu jusqu'à toi, Sarah. Je peux te dire une chose : Léa a un chum à Montréal. Il paraît qu'il est super beau, genre joueur de football *full* musclé et *full* populaire (elle a légèrement exagéré). Bref, elle en a rien à faire de ton Thomas. Si elle vient, c'est pour voir ses amies, un point c'est tout.

Sarah : En tout cas, si jamais elle s'imagine qu'elle va me voler mon chum, tu peux lui dire qu'elle se met le doigt dans l'œil.

Je ca-po-te ! Avoue qu'elle est cinglée ! Qu'on apprenne qu'elle s'est teinte en blonde, qu'elle a adopté un nouveau look de rockeuse et qu'elle croit aux anges, c'est une chose, mais qu'elle écoute les ragots du village et qu'elle te menace de loin, je trouve qu'elle se surpasse !

J'espère t'avoir divertie avec mon récit ! Et ne t'en fais pas pour ta visite : Marie-LOUP est là pour te protéger !

J'attends tes textes avec impatience !

Lou

xox

274

À : Marilou33@mail.com
De : Léa_jaime@mail.com
Date : Dimanche 16 février, 15 h 34
Objet : Horoscopes !

Salut !

Merci pour le récit ! J'avoue que chaque histoire qui implique Sarah Beaupré me donne la chair de poule. Je commence sérieusement à avoir peur qu'elle se rende jusqu'à Montréal pour me jeter un mauvais sort ! Je n'en reviens pas que les gens continuent à potiner sur moi alors que je ne suis même plus là. Heureusement que mon garde du corps (toi) et que mon chum musclé et dangereux (Éloi, lol !) sont là pour me protéger !!! Je ne comprends pas pourquoi elle se sent si menacée par moi. En plus, je ne parle même plus à Thomas (cette fois-ci, c'est vrai !) !

Je te transcris ici quelques extraits de mes horoscopes. Tu me diras ce que tu en penses, mais je crois que mes sous-entendus sont assez évidents pour que les nunuches me laissent tranquille !

Balance (signe astrologique de Sophie)

En amour, tu as besoin d'attention et tu digères mal qu'on te rejette. Tu ne te gênes pas pour utiliser tes charmes pour en venir à tes fins et harponner le gars qui t'intéresse, et ce, même s'il est déjà en couple ou s'il est l'ex d'une bonne amie.

En amitié, les apparences sont très importantes pour toi et tu t'arranges pour ne pas causer d'ennuis. Mais entre toi et moi, on sait bien que tu es capable de trahir une amitié pour obtenir ce que tu veux, car tu es une fille très déterminée !

Lion (signe astrologique de Maude)

Une chose est certaine : tu as tout un caractère et tu ne te gênes pas pour dire ce que tu penses. Il t'arrive parfois (souvent) de pousser ta détermination et ton leadership à l'extrême pour faire valoir ton point de vue et t'assurer que les gens soient d'accord avec ton opinion. On t'appelle parfois « le petit tyran ».

Comme tu aimes être le centre d'attention, tu as de la difficulté à tolérer la compétition, et avec toi, tous les coups sont permis pour obtenir ce que tu désires ! Tu es loyale en amitié, mais fais bien attention, car ce n'est pas toujours réciproque. Certaines personnes pourraient abuser de ta confiance et te jouer dans le dos. Ce mois-ci, reste à l'affût des rousses, car elles risquent de te causer des ennuis !

Gémeaux (signe astrologique de José)

Tu es le roi de l'ambivalence et tu adores butiner d'un côté à l'autre pour trouver la fille qui te plaît le plus ! Il t'arrive même parfois d'avoir plusieurs conquêtes à la *fois, puisque tu n'arrives pas à te décider et à concentrer tes énergies sur une seule fille !*

Tu es un grand charmeur et tu sais comment t'y prendre pour séduire et faire craquer tes victimes. Tu as beaucoup de facilité à te faire des amis et tu ne te gênes jamais pour dire ce qui te passe pas la tête. Fais attention, car ton désir de t'éparpiller risque de te jouer des tours ! Ce mois-ci, prends garde aux triangles amoureux !

Scorpion (signe astrologique de Sarah Beaupré)

Tu es une personne très intense qui ne connaît pas la demi-mesure. Tu es de toutes les batailles et tu comptes bien toutes les gagner, quelle que soit la méthode utilisée. Tu n'as pas peur de déplacer de l'air, ni de déplaire aux gens qui t'entourent, car tu as tendance à penser à ton propre bonheur avant celui des autres.

On te compare parfois à une mante religieuse, car tu ne te fais pas prier pour mettre le grappin sur tes victimes. Tu es plutôt solitaire et tu te fiches de l'opinion des gens qui t'entourent. Ce qui compte pour toi, c'est de vivre des émotions fortes au risque de te laisser emporter par la jalousie. Tu cherches à envoûter les gens coûte que coûte pour obtenir ce que tu désires. Ce mois-ci, fais bien attention, car ton attitude provocatrice pourrait bien se retourner contre toi.

Voilà, j'espère que ces extraits t'ont fait éclater de rire ! J'ai bien hâte de savoir ce qu'Éric en pense ! Léa xox

Dimanche 16 février

18 h 01

Éric (en ligne): Léa?

18 h 02

Léa (en ligne): Hey! Ça va? Tu as bien reçu mes horoscopes?

18 h 03

Éric (en ligne): Oui! Et je peux te dire que tu n'y es pas allée de main morte pour certains signes!

18 h 03

Léa (en ligne): De quoi tu parles?

18 h 04

Éric (en ligne): Léa! Ne me prends pas pour un con! Il y a trois ou quatre signes qui s'adressent directement à « certaines personnes ». Tu utilises même le féminin ou le masculin pour que ces « certaines personnes » se sentent visées!

Léa (en ligne): C'est vrai que je ne me suis pas gênée pour donner mes prédictions, mais je croyais que tu me donnais carte blanche!

18 h 05

Éric (en ligne): Oui... parce que je ne m'attendais pas à ce que tu fasses un scandale avec des horoscopes!

18 h 06

Léa (en ligne): Alors quoi? Tu me censures? Avoue que c'est amusant, non? Ça donne un peu de piquant aux signes astrologiques!

18 h 06

Éric (en ligne): Disons que je m'attendais à plus de discrétion de ta part, mais les articles doivent partir en impression demain matin, alors on n'a pas le temps de changer quoi que ce soit...

18 h 07

Léa (en ligne): Dommage.

18 h 07

Éric (en ligne) : Tu souris en ce moment, n'est-ce pas ?

18 h 08

Léa (en ligne) : Peut-être. ☺

18 h 08

Éric (en ligne) : Je voudrais simplement que tu ajoutes UNE phrase positive pour le Scorpion... Sinon, on risque de se faire des ennemis !

18 h 10

Léa (en ligne) : « Tu n'as peur de rien et tu sais utiliser tes atouts pour charmer les autres... » ?

18 h 11

Éric (en ligne) : Bon... C'est mieux que rien. À demain.

À : Marilou33@mail.com
De : Léa_jaime@mail.com
Date : Mardi 18 février, 16 h 40
Objet : Morte de honte

Salut !
Désolée de ne pas t'avoir rappelée hier soir. J'avais tellement honte après ce qui s'est passé en anglais que je n'avais envie de parler à personne.

Comme tu sais, je devais reprendre mon exposé oral qui a été annulé en raison de la tempête. Comme j'ai passé la fin de semaine à le réciter dans ma tête, je me sentais moins stressée et je commençais même à m'imaginer que tout allait bien se dérouler...

Heureusement pour moi, le prof ne m'a pas fait passer en premier, mais plus les élèves présentaient leurs travaux, et plus je me sentais nulle comparée à eux. Quand il a appelé mon nom, je me suis avancée devant la classe et j'ai collé mes supports visuels sur le tableau.

Le prof : *Whenever you're ready, Léa.*
Moi : *What?*
Le prof : *You can start when you are ready.*
Moi : *Hum, yes sure.* (Tout ce que j'avais compris, c'était « bla, bla, bla, brocoli ».)

Après avoir passé au moins trois bonnes minutes dans le silence, j'ai enfin compris qu'il attendait que je commence. Je suis devenue toute rouge et j'ai eu un trou de mémoire.

Maude : *Look ! Léa is a tomato!*
La classe : (rire déchaîné)
Moi : (morte de honte)

J'ai toussoté et j'ai commencé mon exposé en tenant fermement mes petits cartons devant moi. Mes mains tremblaient tellement que j'avais de la misère à lire mon texte.

Maude : *Look ! Léa is a shaking leaf!*
La classe : (rire hystérique)
Moi : (envie d'éclater en sanglots et de me cacher dans les toilettes)

J'arrivais de peine et de misère à prononcer toutes les phrases, mais j'entendais les nunuches qui ricanaient en arrière de la classe chaque fois que je m'enfargeais sur un mot (c'est à dire pas mal souvent).

À la fin de mon exposé, le prof m'a souri (je te jure que j'ai perçu de la pitié dans son regard).

Le prof : *Good job, Léa. I know that this is not easy for you, but you did your best and I can see a very good improvement.*

Moi (avec des yeux de poisson rouge qui ne comprend absolument rien de ce qu'il vient de me dire) : *What?*

Maude : Il dit que même si tu es vraiment nulle et que personne n'a rien compris, c'est mieux que rien !

Sophie : Moi je pense que « rien » aurait été mieux !

La classe : (rire de connivence et pitié à mon égard)

Le prof : *That's enough!* C'est assez ! Sophie, tou peux sortir de lé class. Jé né supporte pas l'intimidation et les commentaires méchants.

Sophie m'a lancé un regard provocateur, puis elle est sortie. Maude a continué à rire dans sa barbe pendant quelques minutes jusqu'à ce que l'élève suivant prenne place à l'avant. La bonne nouvelle, c'est qu'après le cours, le prof m'a remis ma feuille d'évaluation et qu'il m'a donné 80 % pour mes efforts et mon courage ! Il m'a écrit (dans un français pas clair) la phrase qu'il m'avait baragouinée en anglais et je n'avais pas comprise (qu'il sait que ce n'est pas facile pour moi, mais qu'il est fier de mon amélioration).

Jeanne m'a aussi rassurée en me disant que ce n'était vraiment pas si mal que ça, mais ça n'a pas suffi pour me remonter le moral. Même si Éloi et elle ont insisté pour aller prendre un chocolat chaud, j'ai refusé et je suis rentrée à la maison. Je suis alors retombée dans mes bonnes vieilles habitudes : beignes au miel et *Gossip Girl* en boucle !

Avec la façon dont Sophie et Maude m'ont traitée pendant le cours d'anglais, tu peux être certaine que je n'ai plus aucun scrupule en ce qui a trait aux horoscopes. J'ai plutôt vraiment hâte à jeudi pour qu'ils soient publiés et qu'elles voient de quel bois je me chauffe! D'ici là, je me tiens en retrait et j'évite d'attirer l'attention sur moi!

Et toi, quoi de neuf? Que comptes-tu faire pour ton anniversaire vendredi? Veux-tu organiser un party ou tu préfères passer la soirée en tête à tête avec JP?

Je dois y aller: mon frère n'arrête pas de m'achaler pour que j'aille jouer au PlayStation avec lui. (Je pense que c'est plutôt une façon de me soutirer des informations sur Katherine. Non, mais! Il fallait éviter de casser avec elle s'il ne voulait pas la perdre!) Donne-moi vite des nouvelles!
Léa xox

P.-S.: J'ai remarqué que les nunuches évitaient beaucoup José depuis quelques jours. Je crois comprendre que Maude est encore fâchée contre lui parce qu'il a cassé, et que Sophie évite de le croiser parce qu'elle a sans doute des remords (du moins, j'espère). En tout cas, elles ne perdent rien pour attendre!

À : Léa_jaime@mail.com
De : Marilou33@mail.com
Date : Jeudi 20 février, 22 h 04
Objet : C'est presque ma fête !!

Salut, toi !
Alors, tes horoscopes ? C'est sorti aujourd'hui, non ?
Est-ce que ça a eu l'effet escompté ? Tu dois TOUT me raconter. En tout cas, j'espère sincèrement que les nunuches vont avoir leur leçon. Je suis tannée qu'elles t'humilient publiquement ! Il est grand temps que la vérité sorte et qu'elles te laissent un peu tranquille !

Ici, il n'y a pas grand-chose de nouveau, à part que Sarah Beaupré est toujours accrochée aux talons de Thomas. Je ne sais pas comment il fait pour respirer. J'imagine que, comme elle sait que tu viens, elle veut vraiment lui mettre le grappin dessus pour s'assurer qu'il ne lui échappe pas. Aujourd'hui, son statut Facebook disait : « Il faut se méfier de nos adversaires et protéger ce qui nous tient à cœur. » Hum... Je me demande bien de qui elle parle. ;)

Pour mon anniversaire, les célébrations seront divisées en trois parties : la première aura lieu demain soir avec JP (il me prépare une surprise) ; la deuxième aura lieu samedi soir avec mes parents, mon petit frère et deux de mes oncles ; et la troisième aura lieu... roulements de tambour... samedi prochain le 1er mars ! Oui ! Je voulais attendre l'arrivée de ma *best* pour fêter ça en grand. On est donc en train d'organiser un party chez la mère de JP (le sous-sol est super grand, alors on aura de la place pour danser), et ne t'en fais pas, j'ai répété 1000 fois à JP ne pas inviter Thomas. Comme ça, on pourra célébrer ma fête et ton arrivée avec Steph, Laurie et d'autres gens de l'école que tu n'as pas vus depuis longtemps ! Qu'est-ce que tu en penses ?

Bon, je vais me coucher. J'ai nagé pendant deux heures et je suis morte de fatigue. (Et en plus, je me dis que plus vite je dors, plus vite ce sera mon anniversaire ! Lol !) Je t'aime et j'ai très hâte que tu arrives !!!
Lou xox

À : Marilou33@mail.com
De : Léa_jaime@mail.com
Date : Vendredi 21 février, 00 h 02
Objet : BONNE FÊTE !

BONNE FÊTE ! BONNE FÊTE !

BONNE FÊTE! BONNE FÊTE! BONNE FÊTE! BONNE FÊTE! BONNE FÊTE! BONNE FÊTE! BONNE FÊTE! BONNE FÊTE!

J'ai combattu le sommeil et j'ai attendu qu'il soit minuit avant d'envoyer mon courriel. Maintenant, c'est officiellement ta fête et tu es officiellement plus vieille que moi! ;) J'espère que tu passeras une belle journée d'anniversaire, ma Lou. Je suis super contente d'apprendre que je pourrai célébrer ça avec toi samedi prochain. ♥ Très cool, l'idée du party chez JP. (Du moment que Thomas et sa blonde platine ne fassent pas d'apparition-surprise!) Je sens que le voyage en autobus va être long.

Le journal est sorti ce midi, et je crois que mon plan a déjà fonctionné.

Après l'école, je suis passée chercher mon manteau à mon casier et Éloi est venu planter un gros bec sur ma joue.

Éloi: Tu es géniale, Léa! Je viens de lire tes horoscopes, et tu t'es surpassée. C'est vraiment ingénieux, parce que tu as trouvé une manière déguisée pour te défendre. Je viens de croiser Maude et elle est dans tous ses états! Je pense qu'elle te cherche pour en savoir plus.

Nous avons aussitôt été interrompus par Sophie qui avait l'air livide.

Sophie : Léa ? Est-ce que je peux savoir où tu as pris ton inspiration pour écrire ces horoscopes ?

Moi (d'un air innocent et nonchalant) : Bof, tu sais, je me base un peu sur les gens qui m'entourent, mais je crois que j'ai un don pour ce genre de choses... Pourquoi ?

Sophie (d'un air nerveux) : Pourquoi tu laisses suggérer que je volerais le chum ou l'ex de mon amie ? Sais-tu quelque chose ?

Moi : De quoi tu parles ? Est-ce que je suis censée savoir quelque chose ? Te sens-tu comme la fille qui joue dans le dos de son amie ?

Sophie (en serrant les poings et en grinçant des dents) : Léa Olivier ! Dis-moi la vérité !

Moi : Mais je ne sais pas de quoi tu parles, Sophie ! N'oublie pas que je suis nouvelle à l'école, et en plus, je suis nulle en anglais et je copie les textes des autres au lieu d'écrire les miens dans le journal. Demande à Maude, elle sait peut-être de quoi tu parles !

Sophie : L-É-A !

Maude est arrivée à cet instant en brandissant le journal devant elle. On aurait dit que les yeux allaient lui sortir des orbites !

Maude : Léa ? Est-ce que je peux savoir ce qui t'a pris d'écrire ces horoscopes ? Tout le monde me pose des questions et j'ai même entendu quelqu'un m'appeler le « petit tyran » !

Moi : J'ai fait le travail qu'on m'a demandé et j'ai écrit en m'inspirant de mes dons divinatoires ! Alors, ne va surtout pas croire que j'ai plagié ! Pourquoi ? Est-ce que tu te sens visée par ton horoscope ? Ça alors ! Ça veut dire que j'ai vraiment des dons de clairvoyance...

Maude (en se tournant vivement vers Sophie et en haussant le ton) : Et toi ? Je te cherche partout depuis tantôt ! Pourquoi c'est écrit que je dois me méfier des rousses ? Et pourquoi ton horoscope raconte que tu trahis tes amies ? C'EST QUOI, L'AFFAIRE ?

Moi : Bon, je vous laisse régler ça entre vous, les filles. Mais Maude, je t'invite aussi à lire les autres signes. Qui sait ? Ça t'aidera peut-être à mieux comprendre l'alignement des astres !

Je les ai laissées se chicaner et Éloi a passé son bras autour de mes épaules. Ce n'est peut-être que de courte durée, mais je crois au moins avoir remporté cette bataille ! Le problème, c'est que je sens qu'on est loin de la trêve...

Léa xox

Chapitre 8
Ex-mania

À : Léa_jaime@mail.com
De : Marilou33@mail.com
Date : Samedi 22 février, 23 h 01
Objet : Le plus beau cadeau au monde !

Je capote !!! Sais-tu ce que mes parents m'ont offert pour mon anniversaire ? UN CELLULAIRE !! Tu sais à quel point j'en voulais un !!! Comme JP en a un, je vais prendre un forfait avec messagerie texte illimitée (mes parents ne veulent pas que je prenne trop de minutes), et je m'arrangerai pour prendre le forfait interurbain pour qu'on puisse s'envoyer des SMS quand tu auras le tien. (Je sais que tu penses que tes parents ne te l'offriront pas à ta fête, mais qui sait ? !)

La soirée d'hier a aussi été très cool. Je suis allée chez le père de JP qui nous a laissés commander du chinois (miam !). Il avait installé des bougies sur la table et on a soupé en tête à tête. Après le repas, il m'a offert le sac de chez Garage que j'avais vu dans la vitrine et que je voulais vraiment. J'étais tellement contente ! Je suis restée chez lui jusqu'à 22 h 30, puis ma mère est venue me chercher.

Aujourd'hui, j'ai passé la journée à préparer des pâtés au saumon pour ce soir. C'était vraiment cool. Même mon petit frère ne me tapait pas trop sur les nerfs (sans doute parce qu'il m'a offert une carte-cadeau iTunes – payée par mes parents, évidemment). Bref, c'était un anniversaire super génial, et je suis trop contente parce que je sais que ce n'est pas fini et que je pourrai faire la fête avec toi dans une petite semaine!

Gros bisous,

Lou xox

Dimanche 23 février

10 h 02

Félix (en ligne): T'as envie d'aller glisser sur le mont Royal aujourd'hui? Il ne fait pas très froid dehors.

10 h 03

Léa (en ligne): Mouais... OK.

10 h 03

Félix (en ligne): Dis donc! Tu débordes d'enthousiasme!

10 h 04

Léa (en ligne): Non, ça va être cool. C'est juste que je viens de lire un courriel de Marilou. Elle a reçu un cellulaire pour sa fête.

10 h 05

Félix (en ligne): Et? Tu es contre l'usage des cellulaires?

Léa (en ligne): Ben non, mais tu sais à quel point j'en veux un. Et je ne sais pas pourquoi les parents refusent. Si j'avais un cellulaire, je pourrais envoyer des messages à Marilou à n'importe quelle heure, et même lui envoyer des photos en direct.

10 h 06

Félix (en ligne): Ne te décourage pas, moi j'en ai eu un vers la fin de secondaire 4, et comme les parents ramollissent, ils risquent sûrement de t'en acheter un avant ça (même si je trouve ça injuste).

10 h 07

Léa (en ligne): Ben là! Ce n'est pas du tout le même contexte! Moi, j'ai été déracinée et projetée dans la métropole sans qu'on me demande mon avis. Je pense qu'un cellulaire est nécessaire à ma survie.

10 h 07

Félix (en ligne): Tu dis n'importe quoi! Bon, mais pour la glissade, on invite qui?

Léa (en ligne): Je ne sais pas. Éloi ne pourra pas venir parce qu'il passe la journée en famille. Je n'ai pas des millions d'amis, mais je pourrais inviter Annie-Claude. Ça fait longtemps que je n'ai pas passé du temps avec elle.

Félix (en ligne): Hum… Pourquoi tu n'invites pas plutôt Katherine?

Léa (en ligne): Félix, c'est quoi l'affaire? Tu as cassé avec Katherine il y a à peine un mois parce que tu la trouvais jeune et que ça ne marchait plus, et là, tu es soudainement retombé en amour avec elle? Tu ne peux pas jouer avec les sentiments de quelqu'un comme ça! De toute façon, à ce que j'ai cru comprendre, votre histoire c'est du passé et elle ne tient pas à revenir en arrière.

Félix (en ligne): J'étais mélangé quand j'ai cassé. Je passais beaucoup de temps avec mes amis, et je trouvais qu'elle ne se mêlait pas beaucoup aux autres... Puis il y a eu la fille du party qui m'a embrassé, et je trouvais ça pas correct de ne pas dire la vérité à Katherine. Sur le coup, je pensais que je ne l'aimais plus, mais là je regrette et elle me manque.

10 h 13

Léa (en ligne): Bonne chance pour la convaincre, en tout cas!

10 h 14

Félix (en ligne): C'est pour ça que j'ai besoin de ton aide! Comme tu es son amie, je peux la revoir grâce à toi et essayer de la convaincre de revenir avec moi!

10 h 15

Léa (en ligne): Alors, c'est pour ça que tu as envie d'aller glisser?

10 h 15

Félix (en ligne): Mais non... Je dis simplement qu'on pourrait faire d'une pierre deux coups. ☺ Tiens, elle est en ligne! Invite-la à se joindre à la conversation.

Katherine vient de se joindre à la conversation

10 h 17

Katherine (en ligne): Salut, Léa! Quoi de neuf?

10 h 18

Léa (en ligne): Pas grand-chose... toi?

10 h 19

Katherine (en ligne): Je peux dire que tes horoscopes ont fait parler! Lol! Maude s'est rendu compte que José et Sophie lui cachaient quelque chose et, hier soir, elle a affronté Sophie!

10 h 20

Léa (en ligne): Ah oui? Et qu'est-ce qui s'est passé?

Katherine (en ligne): Sophie a été obligée de lui avouer qu'elle avait embrassé José dans un party, mais elle dit que comme Maude et lui n'étaient plus ensemble, ça ne compte pas vraiment comme une trahison!

10 h 22

Léa (en ligne): Et qu'est-ce que Maude a répondu?

10 h 23

Katherine (en ligne): Elle a dit qu'après ce qui était arrivé entre José et moi l'année dernière, elle n'arrivait pas à croire qu'elle puisse lui faire une chose pareille. Elle l'a traitée d'hypocrite, de traître et j'en passe. Ça a fini en larmes, mais contrairement à moi et Maude, ça ne s'est pas arrangé. Et toi, comment as-tu appris que Sophie avait embrassé José?

Léa (en ligne): Je les ai vus au party. Et comme ces filles-là ne perdent pas une occasion de m'humilier, j'ai pensé leur rendre la pareille… Mais là, je me sens mal parce que je ne voulais pas t'impliquer dans tout ça.

10 h 24

Katherine (en ligne): Ne t'en fais pas pour moi! Je n'ai pas rapport dans leur chicane! Et les connaissant, je suis sûre que ça va s'arranger d'ici quelques jours. Je pense que c'est plus José qui va payer…

10 h 24

Léa (en ligne): Eh bien, lui, il le mérite!

10 h 25

Katherine (en ligne): Ça, c'est vrai! Ça me prouve à quel point il est croche…

10 h 26

Félix (en ligne): Hum, hum.

10 h 26

Katherine (en ligne): Tu es là, toi?

10 h 27

Léa (en ligne): Ah oui, c'est vrai. Je l'avais oublié. En fait, on voulait savoir si tu avais envie de venir glisser avec nous aujourd'hui au parc du Mont-Royal.

10 h 28

Katherine (en ligne): Ah, j'aimerais vraiment ça... Mais j'ai déjà quelque chose de prévu avec... avec un ami...

10 h 28

Félix (en ligne): Quel ami?

10 h 28

Katherine (en ligne): Un ami que tu ne connais pas.

10 h 28

Félix (en ligne): Je pensais que je connaissais tous tes amis.

10 h 29

Katherine (en ligne): C'est un nouvel ami.

10 h 29

Léa (en ligne): Ben, veux-tu inviter ton nouvel ami?

10 h 29

Félix (en ligne): Ben voyons, Léa! Pas besoin de la forcer, quand même! Peut-être que son «ami» n'aime pas la neige.

10 h 30

Katherine (en ligne): Au contraire! Il est champion de ski! C'est une super idée, ça! On ne savait pas trop quoi faire de notre journée, mais on pourrait se joindre à vous! On se rejoint à 13 h à la statue au pied du mont Royal?

10 h 31

Léa (en ligne): Super!

10 h 31

Katherine (en ligne): Génial, à tantôt! *Luv* xx

Katherine a quitté la conversation

10 h 32

> **Félix (en ligne):** Léa, t'es ben tache! Là, je suis pris pour passer la journée avec Katherine et son nouveau chum champion de ski!

10 h 33

> **Léa (en ligne):** Ben non! C'est juste «un ami»! Et puis ça t'apprendra à m'impliquer dans tes histoires! Je vais me doucher! On se retrouve en bas!

À : Marilou33@mail.com
De : Léa_jaime@mail.com
Date : Dimanche 23 février, 19 h 07
Objet : Félix le conquérant

Salut, fille la plus chanceuse au monde !
Je suis très contente pour ton cellulaire, mais aussi extrêmement jalouse ! J'aimerais TELLEMENT ça en avoir aussi pour pouvoir t'écrire, genre, tout le temps ! Imagine, je pourrais t'envoyer des photos des nunuches prises sur le vif, et aussi de Félix qui tombe tête première dans un banc de neige en essayant d'impressionner Katherine !

Oui, tu as bien lu ! Aujourd'hui, nous sommes allés glisser sur le mont Royal, et Félix m'a demandé d'inviter Katherine (décidément, il ne sait pas ce qu'il veut). Le problème, c'est que Katherine a aussi décidé de venir avec son « nouvel ami », Simon, qui est super *cute* et champion de ski ! Comme nous n'étions que nous quatre, on a fait des courses de luge deux par deux, mais comme Katherine se mettait toujours en équipe avec Simon, Félix était vert de jalousie. Il a donc proposé à l'ami de Katherine de faire une course entre eux deux, ce qui a évidemment tourné au vinaigre quand mon frère a essayé de couper Simon dans la pente et a foncé tout droit dans un banc de neige. Ça aura au moins eu comme effet d'attirer l'attention de Katherine qui a couru vers lui et qui l'a pris dans ses bras pour s'assurer qu'il allait bien. À la fin de la journée, Katherine est tout de même partie bras dessus, bras dessous avec Simon, et mon frère est rentré bredouille. Il avait vraiment l'air triste. Je pense que je ne l'ai jamais vu comme ça! Je commence à croire qu'il regrette sincèrement d'avoir laissé tomber Katherine et que ce n'est pas juste une question d'ego. En rentrant, il m'a même demandé de m'informer auprès d'elle pour savoir si c'était sérieux avec Simon... Ils ne se sont pas embrassés de la journée, alors je ne crois pas que ce soit son chum, mais il était assez *cute* et drôle pour faire du mal à l'orgueil de mon frère!

Je n'ai absolument pas envie d'aller à l'école demain. J'ai espoir que les choses se soient calmées avec les nunuches, mais je suis tannée des devoirs, des examens et des cours d'anglais. :(Heureusement, il ne reste plus que cinq jours avant les vacances et avant de te rejoindre! J'ai très hâte de te donner ton cadeau!!

Bon, je dois descendre à la cuisine! Mes parents ont préparé une raclette pour le souper et ils m'attendent.
Bisous!
Léa xox

À : Katherinepoupoune@mail.com
De : Léa_jaime@mail.com
Date : Dimanche 23 février, 21 h 15
Objet : Curiosité

Salut !
J'espère que tu t'es bien amusée avec nous aujourd'hui et que ce n'était pas trop bizarre de passer du temps avec mon frère. Je sais qu'il veut passer du temps avec toi, mais je ne voudrais pas te mettre dans une situation bizarre si ça ne te tente pas de le voir... surtout si tu as un nouveau chum.

D'ailleurs, je me demandais par curiosité si c'était sérieux avec Simon ? Il a l'air super gentil, en tout cas ! ;)

À demain, en espérant qu'on puisse se parler sans que Maude n'intervienne !
Léa xox

À : Léa_jaime@mail.com
De : Katherinepoupoune@mail.com
Date : Dimanche 23 février, 21 h 45
Objet : Re : Curiosité

Coucou !
Oui, je me suis bien amusée aujourd'hui... et pour être complètement honnête, j'ai bien aimé

voir Félix se donner tant de mal pour essayer de m'impressionner. Lol !

Je sais qu'il veut passer du temps avec moi (c'était pas très discret, son affaire), mais en même temps, je ne peux pas lui pardonner en un battement de cils. J'ai donc demandé à mon cousin Simon qui est *full* beau de se faire passer pour mon « ami » pour le rendre jaloux (et je pense que ça a fonctionné), mais CHUT ! ne lui dis surtout pas. Tu sais, je l'aime encore, Félix, mais il m'a fait tellement de peine que je ne sais pas encore si je serai capable de lui pardonner. Alors en attendant, je veux le voir souffrir un peu. C'est notre secret, OK ?
Luv ❤
Katherine

À : Léa_jaime@mail.com
De : Marilou33@mail.com
Date : Lundi 24 février, 12 h 21
Objet : Thomas m'énerve !

Salut !
Je t'écris un petit mot du local d'informatique pour te raconter mon altercation avec Thomas ce matin dans les casiers.

Thomas : Salut, Marilou. Je voulais te souhaiter bonne fête.

Moi : Merci. Comment tu sais que c'est ma fête ?

Thomas : JP me l'a dit.

Moi : OK. Est-ce que c'est tout ?

Thomas : Non. Il m'a dit autre chose, aussi.

Moi : Quoi ?

Thomas : Je lui ai offert de venir faire de la motoneige avec moi samedi prochain, mais il m'a dit qu'il ne pouvait pas parce qu'il organisait une fête chez lui.

Moi : OK. Et ?

Thomas : Et que je n'étais pas invité, parce que tu ne voulais pas.

Moi : Oui, et je ne changerai pas d'idée, Thomas. C'est un party pour *ma* fête que j'ai envie de célébrer avec *mes* amis, et tu n'en fais pas partie.

Thomas : Avec tes amis, dont Léa ?

Moi : Oui, et Léa ne veut pas te voir, elle non plus. Je ne comprends pas pourquoi tu t'acharnes ! Tu ne crois pas que tu lui as fait assez de mal comme ça ? En plus, tu as une blonde, et ça m'étonnerait qu'elle veuille que tu ailles dans un party avec ton ex.

Thomas : Ce qui s'est passé entre Léa et moi, ce n'est pas de tes affaires ! Et pour samedi, je comprends ton point de vue, mais le party est chez mon meilleur ami et je trouve ça poche que tu m'empêches d'y aller.

Moi (de plus en plus en colère) : Pourquoi ? Parce que tu veux encore jouer avec sa tête ? Tu veux lui dire : « Tu me manques, mais je ne peux rien t'offrir ? » Tu veux ruiner les efforts qu'elle fait depuis sept mois pour être heureuse à Montréal, et ceux qu'elle fait depuis quatre mois pour t'oublier ? Eh bien, j'ai de petites nouvelles pour toi, Thomas : ça n'arrivera pas ! Je ne te laisserai pas lui faire du mal une fois de plus. Est-ce que c'est clair ?

Il m'a regardé avec ses grands yeux de biche pour essayer de me faire croire que je venais de lui briser le cœur, mais j'ai tourné les talons avant qu'il puisse ajouter quoi que ce soit. GRRRR ! Il a le don de me mettre dans tous mes états ! Et je suis aussi en colère contre JP. Je lui avais fait promettre de ne pas inviter Thomas, alors pourquoi il s'est senti obligé de s'ouvrir la trappe et de lui dire qu'il organisait un party ? Il ne peut pas se passer de son grand niaiseux d'ami, des fois ?

Ça m'a fait du bien de t'écrire ! Ça défoule !
À plus,
Lou xox

À : Marilou33@mail.com
De : Léa_jaime@mail.com
Date : Lundi 24 février, 21 h 07
Objet : Confusion totale

Salut, Lou,
Désolée de ne pas t'avoir écrit avant. J'ai passé le début de la soirée avec Éloi, mais les choses ont

tourné au vinaigre. :(Et c'est justement à cause de Thomas.

Après les cours, Éloi m'a proposé d'aller faire nos devoirs dans un café. J'ai accepté, parce que j'avais vraiment envie de passer le plus de temps possible avec lui avant de partir samedi.

J'étais concentrée sur un calcul mathématique quand je me suis rendu compte qu'il me regardait d'un drôle d'air.

Moi : Qu'est-ce qu'il y a ? J'ai quelque chose sur le nez ?

Éloi : Non, ce n'est pas ça... Je pensais juste à la semaine prochaine.

Moi : À la semaine de relâche ? Ça va être cool, non ? Je reviens mardi soir, alors on pourra sûrement se trouver du temps pour se voir ! Mercredi, mes parents travaillent, alors tu pourrais venir chez moi...

Éloi : Peut-être. On verra si tu as envie de me voir.

Moi (en fronçant les sourcils) : Pourquoi tu dis ça ? C'est évident que je vais vouloir te voir !

Éloi : Tu dis ça maintenant, mais tu ne sais pas comment tu vas te sentir en revenant de là-bas.

Moi : Euh... Je vais sentir que je m'ennuie de toi parce que ça va avoir fait cinq jours que je ne t'ai pas vu ?

Éloi : Ouais... ou alors tu vas te sentir détachée parce que tu as revu ton ex et ça t'a mise à l'envers.

Moi : Quoi ? C'est Thomas qui te met dans cet état-là ? Voyons, Éloi. Ça fait quatre mois que c'est fini entre lui et moi. Et je suis avec toi, maintenant. Ça ne compte pas, ça ?

Éloi : Oui, mais ça ne veut pas dire que tu l'as complètement oublié.

Moi : Eh bien, oui, ça veut dire que je l'ai oublié. De toute façon, je ne compte pas le revoir et j'ai déjà mis ça bien au clair avec lui (oups).

Éloi : Quoi ? Vous vous êtes reparlé ?

Moi (en bafouillant pour essayer de m'en sortir sans lui avouer que Thomas et moi, on s'était écrit en janvier) : Non... On ne se parle plus, mais dans le dernier courriel que je lui avais écrit, je lui avais clairement dit de me laisser tranquille et il a compris le message.

Éloi : Et ça date de quand, ça ?

Moi : Je... Je ne sais pas, moi. Je ne m'en souviens plus. Mais ce n'est pas la question ! Ce qu'il faut que tu saches, c'est que je lui ai nettement fait comprendre que je ne voulais plus rien savoir de lui ! En plus, je viens de lire un courriel de Marilou qui me raconte qu'elle l'a remis à sa place et qu'elle lui a interdit de s'approcher de moi. Tu peux compter sur elle, aussi !

Éloi : Donc tu es en train de me dire que tu as dû sermonner ton ex pour qu'il te laisse tranquille, et que ta meilleure amie travaille d'arrache-pied pour empêcher une rencontre entre vous pendant que tu seras là-bas.

Moi (confuse) : Oui... Mais...

Éloi (en s'emportant de plus en plus) : Ce qui veut dire que ce qu'il y a entre vous est si fort que vous ne pourriez pas résister si ce n'était de Marilou. C'est super rassurant, ça, Léa !

Moi : Éloi, ce n'est pas ça que je voulais dire ! Je voulais simplement que tu saches que Marilou déteste Thomas et qu'elle n'a aucune envie de passer du temps avec lui quand je serai là-bas.

Éloi : Eh bien moi, je préférerais que tu me dises que ça ne te dérange pas de le voir parce que ça ne te fait plus rien. Penses-tu que j'aime ça m'imaginer que tu es encore en amour avec lui ?

Moi : Non, mais...

Éloi : Et je sens déjà que je vais me faire des idées pendant tout le temps que tu seras là-bas ! Je vais avoir peur que tu le revoies et que ça t'affecte. Et tu ne dis vraiment rien pour me rassurer, Léa Olivier !

Il s'est levé et il s'est mis à ramasser ses affaires. J'ai essayé de le retenir, mais ça ne servait à rien parce qu'il était vraiment bouleversé et qu'il ne voulait pas m'entendre. Il s'est excusé et il est parti en me laissant seule au café avec mon devoir de maths.

Quand je suis rentrée ici, j'ai essayé de l'appeler, mais il n'y avait pas de réponse chez lui. Je suis connectée depuis tout à l'heure, mais il n'est pas en ligne. Le seul qui est connecté, c'est mon frère qui espère que

Katherine apparaisse. (D'ailleurs, elle m'a avoué que Simon était son cousin et qu'elle voulait faire croire autre chose à Félix pour le rendre jaloux. Je ne l'ai pas dit à mon frère parce qu'elle m'a fait promettre de tenir ma langue, et aussi parce que je trouve qu'il le mérite bien!)

Décidément, Thomas est la cause de tous nos soucis aujourd'hui. Même les nunuches ne m'ont pas causé d'ennuis! (J'avoue que je les ai évitées le plus possible, mais j'ai quand même remarqué que Sophie et Maude ne mangeaient pas à la même table.)

Peux-tu m'expliquer pourquoi Éloi a réagi comme ça? Je comprends que ça l'énerve que je retourne dans le village de Thomas, mais si je lui dis qu'il n'y a rien à craindre, il devrait me croire, non?
Quel lundi! :(
Léa xox

À : Léa_jaime@mail.com
De : Jeanneditoui@mail.com
Date : Mardi 25 février, 20 h 05
Objet : Besoin d'aide!

Salut, Léa!
Comme tu es la seule qui connaît la situation avec Alexis (c'est-à-dire qu'il m'intéresse même si je me

fais croire que non, ;) je t'écris pour avoir un conseil. Je trouve que tu es bonne là-dedans !

Comme je te l'ai dit, on se parle assez souvent depuis les vacances de Noël, mais comme on ne va pas à la même école, c'est plutôt difficile de trouver du temps pour se voir. Des fois, je propose des activités avec Alex parce que ça me rend moins mal à l'aise, mais je n'ai jamais osé lui offrir de faire quelque chose les deux ensemble parce qu'il ne propose rien lui non plus.

Le problème, c'est qu'il vient de m'appeler pour me dire qu'il avait un tournoi de hockey pendant la semaine de relâche et il se demandait si j'avais envie d'aller voir un match. Il m'a aussi dit que je pouvais amener une amie ou venir avec Alex si j'avais peur de m'ennuyer. Je ne sais pas si c'est une proposition amicale ou s'il ressent quelque chose de plus pour moi. Comment on fait pour savoir ça ? Est-ce que je devrais y aller ? Si oui, toute seule ou avec quelqu'un ? AAAAAAAH ! Tu vois ? C'est pour ça que je disais que c'était trop compliqué de sortir avec un gars. Je suis nulle et je ne comprends rien là-dedans ! En plus, je n'oserai jamais faire les premiers pas ! :(J'aurais trop peur qu'il me rejette en me disant qu'il me perçoit juste comme une amie. J'ai donc besoin de conseils pour savoir quoi faire.

Comme tu n'es pas en ligne, j'imagine que tu es occupée, mais écris-moi dès que tu peux !
Bisous,
Jeanne

P.-S. : Est-ce que tout va bien avec Éloi ? Je vous ai vus en grande discussion près de la cafétéria, et ça n'avait pas l'air de filer...

À : Jeanneditoui@mail.com
De : Léa_jaime@mail.com
Date : Mardi 25 février, 22 h 35
Objet : Re : Besoin d'aide !

Salut !
Bon, là c'est toi qui n'es plus en ligne, alors je vais te donner mes conseils par courriel. Je crois que c'est évident qu'Alexis tripe sur toi ! Sinon, il ne t'appellerait pas tout le temps pour jaser de la pluie et du beau temps, et il ne prendrait pas la peine de t'inviter à son match de hockey. Mon conseil, c'est de foncer et de ne pas trop te poser de questions. Je sais que c'est plus facile à dire qu'à faire, mais des fois, ça fait du bien de ne pas se casser la tête ! Et je crois aussi que tu pourrais faire les premiers pas. On s'imagine toujours que ce sera la honte si le gars nous rejette, mais on finit toujours par s'en remettre ! Dis-toi qu'Éloi m'a fait une sorte de déclaration à laquelle que je n'ai pas réagi avant qu'on sorte ensemble, et même si je n'étais pas prête à sortir

avec lui, je n'ai jamais eu envie de me moquer de lui parce qu'il m'avait avoué ses sentiments. Si Alexis rit de toi parce que tu lui avoues que tu l'aimes bien, alors c'est un con!

Bref, tu devrais VRAIMENT aller à son match de hockey! Si tu crois que ça te donnera plus de courage d'y aller avec quelqu'un, alors n'hésite pas à demander à Alex, à Katherine ou même à tes autres amies de se joindre à toi! Mais si tu lui dis non, il va s'imaginer que tu ne ressens rien pour lui. Crois-moi : s'il te tend une perche, il vaut mieux que tu lui montres un peu d'intérêt.

Pour ce qui est d'Éloi... Je ne peux pas dire que ça aille super bien entre nous en ce moment. Lundi soir, il m'a fait toute une scène parce qu'il avait peur que je revoie Thomas la semaine prochaine. Quand tu nous as vus près de la cafétéria, j'essayais de le calmer et de le rassurer, mais il était encore *full* froid avec moi et il ne voulait pas m'expliquer comment il se sentait. J'avais envie de passer la soirée avec lui, mais je ne pouvais pas parce que je devais étudier. On s'est dit qu'on se verrait jeudi soir et qu'on essaierait de régler tout ça... Je te tiendrai au courant!

Je te laisse, mais, s'il te plaît, suis mon conseil et réponds à Alexis! Et n'oublie pas de tout me raconter par courriel la semaine prochaine ;)
Léa xox

À : Marilou33@mail.com
De : Léa_jaime@mail.com
Date : Mercredi 26 février, 22 h 22
Objet : Surprise, surprise

Coucou ! Comment ça va ? As-tu hâte que j'arrive (moi oui !!) !

Moi, ça va, mais j'ai une semaine plutôt mouvementée. Non seulement Éloi est super distant parce qu'il s'imagine que je vais retomber amoureuse de Thomas, mais en plus, j'ai eu droit à une conversation honnête et presque agréable avec Maude ! Oui, oui ! Tu as bien lu !

Je m'apprêtais à partir de l'école quand José est venu me voir.

José : Léa ! Pourquoi t'es allée raconter à Maude que j'avais *frenché* Sophie ?
Moi : Euh, non. Je n'ai pas fait ça. J'ai simplement écrit mes prédictions en m'inspirant de la carte du ciel. Désolée si vous vous sentez concernés.
José : Arrête de jouer à l'innocente ! Maude a affronté Sophie qui lui a tout avoué, et maintenant les deux m'en veulent.
Moi : Écoute, ce n'est pas mon problème si tu as le don d'embrasser les meilleures amies de ta blonde. Tu pourrais peut-être en tirer une leçon et arrêter de

t'acharner sur le même groupe de filles. Bon, faut que j'y aille, là.

Maude (en courant vers nous) : Attends, Léa !

Moi : Quoi, encore ? Tu ne trouves pas que tu en as assez dit sur moi.

Maude (sans regarder José) : Non... Ce n'est pas ça. Même si je trouve ça vraiment effronté de ta part de m'appeler le « petit tyran » et d'inventer des affaires à mon sujet dans ton horoscope, je tenais quand même à te remercier de m'avoir ouvert les yeux sur lui. (Elle a pointé José sans le regarder. Je pouvais voir qu'il avait un peu honte.)

Moi : Euh... Merci ?

Maude : Personne ne m'aurait dit la vérité si je ne l'avais pas lue dans tes horoscopes, et il n'y a rien que je déteste plus que de me faire jouer dans le dos et d'avoir l'air d'une cruche. J'ai réussi à lui pardonner une fois, mais crois-moi, ça ne passera pas deux fois.

José a soupiré et il est parti. J'ai vu Maude le regarder s'éloigner et j'ai bien senti qu'elle avait de la peine. J'ai alors compris que Jeanne avait raison : sous sa carapace de *bitch*, Maude est humaine, et même sensible.

Moi : Tu n'es pas obligée de me le dire, mais est-ce que les choses se sont arrangées avec Sophie ?

Maude : Plus ou moins. J'ai été trahie par une autre amie et ça fait mal, mais Sophie m'a confié qu'elle était amoureuse de José depuis super longtemps et qu'elle n'avait jamais osé me le dire.

Moi : Hein ? Elle n'était pas amoureuse d'Alex et de mon frère, aussi ?

Maude : Non, ça, c'est des histoires qu'elle racontait pour éviter que j'aie des soupçons. Bref, même si je sais que ça ne se fait pas de *frencher* l'ex de ta *best* quand ça fait à peine deux jours qu'ils ne sont plus ensemble, je sais aussi qu'elle ne l'a pas fait pour être méchante ou pour me faire de la peine. À ce que j'ai cru comprendre, c'était un peu comme son rêve d'embrasser José parce qu'elle pense toujours à lui. Le problème, c'est que José n'est pas amoureux de Sophie, et il n'était pas plus amoureux de Katherine quand il m'a fait le coup l'année dernière. Ça, c'est sans compter qu'il m'a trompée à Noël. En tout cas, si je te raconte tout ça, c'est parce que ton horoscope m'a ouvert les yeux, et je pense que je mérite quand même mieux que lui... C'est juste difficile, parce qu'on est tellement habitués de se déchirer et de se pardonner qu'on dirait que tous les coups sont permis. C'est comme si je ne me respectais plus quand j'étais avec lui. Je sais que je l'aime, mais je sais aussi que notre relation est vraiment malsaine.

Moi : Je sais que tu t'en fiches peut-être de mon opinion, mais ça me fait plaisir de t'entendre dire ça. Je ne te connais pas sous ton meilleur jour, mais Jeanne n'arrête pas de dire que tu peux être gentille, surtout quand tu n'es pas avec lui.

Maude : Ouais, je sais... Mais c'est vraiment difficile de résister. On dirait qu'il y a toujours quelque chose qui me ramène vers lui, même si je sais que ce n'est pas bon pour moi.

Moi : Là-dessus, je te comprends. (Je faisais allusion à Thomas, évidemment.)

Maude : Bon, faut que j'aille. Mais ne va pas croire que je vais te pardonner si facilement pour les commentaires que tu as écrits à propos de moi !

Elle m'a dit ça en souriant, mais ce n'était pas le sourire antipathique et mesquin qu'elle m'envoie d'habitude. Cette fois-ci, c'était un mélange de complicité et de défi.

Moi : Je sais.

J'ai répondu ça en souriant, moi aussi, et je suis partie. Je sais qu'on ne deviendra probablement jamais les meilleures amies du monde, et je sais qu'elle m'en a fait baver au cours des derniers mois, mais c'est rassurant de voir que mon plan a fonctionné, et qu'on peut arriver à se parler sans sortir nos griffes.

Sur ce, il ne reste que deux jours d'école et je viens te visiter !! J'ai hâte ! :)

Bonne nuit, et donne-moi des nouvelles !
Léa

P.-S. : Si jamais Thomas te cause des ennuis ou reprend contact avec moi, je te fais la promesse solennelle de tout te raconter. Je ne le laisserai pas gâcher mes retrouvailles avec toi, cette fois-ci ! ❤

À : Léa_jaime@mail.com
De : Marilou33@mail.com
Date : Jeudi 27 février, 18 h 22
Objet : Les vacances !

Hourra !! Je suis en vacances ! On a une journée pédagogique demain alors je peux déjà commencer à me relaxer. Ce soir, je passe une soirée seule à la maison. Mes parents sont partis chez des amis avec mon petit frère, et comme JP voyait ses amis, je vais en profiter pour écouter des films de fille.

Je suis très surprise par ta conversation avec Maude. Il y a donc de l'espoir avec elle ? Elle n'est pas un cas désespéré comme Sarah Beaupré. Parlant d'elle, je l'ai vue se chicaner avec Thomas après l'école. Je n'arrivais pas à entendre ce qu'ils disaient, mais je peux te dire une chose : il avait l'air exaspéré et elle le poursuivait en pleurant. Je ne sais vraiment pas comment il fait pour endurer ça. Je sais qu'elle est belle, mais il y a des limites, non ? Et dire qu'il te trouvait compliquée. Lol !

Bon, je vais visionner mes films! Tu me raconteras ta soirée avec Éloi. J'espère que tout ira bien, mais ne sois pas trop dure envers lui. Il a quand même ses raisons d'être jaloux, et si tu étais à sa place, tu ne sauterais pas de joie, toi non plus.

Lou xox

À : Marilou33@mail.com
De : Léa_jaime@mail.com
Date : Vendredi 28 février, 23 h 11
Objet : Un dodo!

Coucou!

Désolée de ne pas t'avoir rappelée, mais finalement, ma soirée avec Éloi a été remise à ce soir sans que je le veuille. Je t'explique : hier midi, il est venu me voir pour me dire qu'il devait annuler, parce que sa mère avait besoin de son aide à la maison. Je sais que c'est une excuse qui semble valable, mais à lui voir la tête, j'en doutais un peu. Mon petit doigt me disait que ce n'était pas pour ça qu'il annulait.

Moi : C'est plate. Est-ce qu'on peut se voir plus tard, alors?

Éloi (toujours un peu distant) : Je ne pense pas. Je risque de finir tard.

Moi : Bon... Est-ce qu'on peut se voir demain soir?

Éloi : Je ne sais pas trop. J'avais déjà dit à Alex que je ferais quelque chose avec lui.

Moi : Éloi ! Je pars pendant cinq jours, et d'habitude, on a de la misère à passer deux minutes sans se parler, alors peux-tu me dire pourquoi tu cherches à m'éviter ? C'est encore à cause de Thomas ?

Éloi : C'est plus compliqué que ça... Je suis un peu préoccupé, et j'ai plein de choses à faire. D'ailleurs, je dois y aller, mais on se parle plus tard.

Il est parti sans me laisser le temps de lui répondre. Je me sentais vraiment tout à l'envers, parce que je sentais qu'il me filait entre les doigts et qu'il n'y avait rien que je puisse faire pour le retenir. Je suis allée voir Jeanne pour lui proposer d'aller prendre un café, et ça m'a fait du bien de me confier à quelqu'un. Selon elle, Éloi agit comme ça parce qu'il veut se protéger. Genre qu'il a peur de ce qui pourrait arriver pendant que je suis chez toi.

D'un côté, je comprends qu'il soit inquiet, mais de l'autre, j'avoue qu'il ne m'aide pas, parce qu'il me fait encore plus penser à Thomas ! Et quand j'y pense, j'avoue que mes mains deviennent moites et que mon cœur s'emballe. Est-ce que c'est normal ? S'il n'en parlait pas autant, je crois que je ne me stresserais pas avec la situation, mais là, on dirait qu'il m'a transmis son obsession !

On a aussi discuté de Jeanne et de son plan d'attaque pour lundi prochain. (Alexis l'a invitée à aller le voir jouer au hockey, et elle va y aller avec Alex et quelques-uns de ses amis pour se donner plus de courage !) La vérité, c'est qu'elle est amoureuse de lui, mais qu'elle ne sait pas trop comment s'y prendre, ni comment lui dire. Ce n'est pas évident comme situation, car ils sont extrêmement timides tous les deux !

Notre rencontre m'a changé les idées, mais j'avoue que j'ai eu de la misère à m'endormir. Je n'arrêtais pas de penser à Éloi... et à Thomas... et je ne savais pas trop quoi faire.

Tout à l'heure après l'école, Éloi est venu me voir pour s'excuser d'avoir été aussi froid cette semaine et il m'a expliqué un peu mieux comment il se sentait.

Lui : Ça me rend fou de penser que tu vas peut-être le revoir. J'étais là pendant ta peine d'amour, et je sais à quel point tu l'as aimé...

Moi : Oui, mais maintenant, je suis avec toi. Je n'ai pas envie de revoir Thomas. Il faut que tu me fasses confiance, OK ? Et j'aimerais ça qu'on arrête de parler de lui tout le temps, parce que c'est en train de me rendre folle.

Lui : Comment ça ? Ça te rend nerveuse ? Tu vois, c'est ça que je voulais dire... Je n'aime pas ça qu'il te mette encore dans cet état-là...

Moi (en haussant le ton) : Arrête, Éloi ! Ce n'est pas lui

qui me met dans cet état-là ! C'est toi ! Thomas, c'est du passé, et je suis tannée d'en parler.

Éloi m'a regardée d'un air surpris. Puis il a pris une grande inspiration et il s'est avancé vers moi avant de m'embrasser passionnément.

Moi (en souriant) : Wow... Qu'est-ce qui me vaut ce baiser ?

Éloi : Toi... tout simplement. Merci d'être patiente avec moi. Je sais que je ne suis pas évident depuis quelques jours... Je m'excuse. Je ne suis pas quelqu'un de jaloux, et je déteste me sentir comme ça. Je me sens tellement vulnérable... Cette peur de te perdre, ça m'a fait réaliser à quel point je tenais à toi, et je pense que ça m'a rendu un peu fou.

On a souri tous les deux et on s'est serrés très fort. Je lui ai proposé de me raccompagner chez moi, mais il avait des trucs prévus, et je me suis dit qu'il valait mieux ne pas trop insister et laisser retomber la poussière. Après tout, on a réussi à s'expliquer et à arranger les choses, alors c'était préférable de se séparer avant d'aborder le sujet une nouvelle fois et de contaminer notre bonheur qui semble très fragile cette semaine.

Je viens de terminer mes bagages et je suis prête à partir ! Je dois me lever à 6 h si je veux être capable de prendre le bus de 8 h, alors je ferais mieux d'aller me coucher tout de suite. Je te conterai la suite de mes états d'âme de vive voix ! :)

Bonne nuit ! J'ai hâte de te voir !
Léa xox

Le Blogue de Manu

Inscris un titre : Nervosité

Écris ton problème : Salut, Manu ! Je t'écris de l'autobus qui me mène vers mon village natal, car je vais visiter mon amie Marilou pendant quelques jours. Le problème, c'est que mon chum Éloi est super jaloux que je retourne là-bas parce qu'il a peur que je revoie Thomas, mon ex.

Ce n'est pas dans mes intentions de le voir ; non seulement je suis en colère contre lui à cause de son histoire avec Sarah Beaupré, mais j'ai aussi peur que les craintes d'Éloi se révèlent exactes et que mon cœur s'emballe si je le vois. J'aime vraiment Éloi et je suis *full* bien avec lui, mais on dirait que quand je pense à Thomas, je ne suis pas indifférente. C'est plus fort que moi : j'ai le cœur qui bat et je me sens toute molle. Je ne sais pas si c'est normal. Qu'en penses-tu ? Je suis tellement confuse...

Aide-moi !

Léa xox

Manu répond à deux questions par semaine. Tu seras peut-être choisie...

À : Léa_jaime@mail.com
De : Jeanneditoui@mail.com
Date : Dimanche 2 mars, 10 h 05
Objet : Alors ?

Salut !
Alors, comment ça se passe dans ton chez-toi lointain ?
Est-ce que tu t'es amusée à la fête de Marilou ? J'ai très
hâte que tu me racontes ! En plus, il y a une tempête ici
et je suis coincée chez moi toute la journée. Je ne peux
rien faire pour me changer les idées et éviter de penser
à la journée de demain... à part me ronger les ongles en
m'imaginant le pire !
Sauve-moi et écris-moi vite.
Jeanne

À : Jeanneditoui@mail.com
De : Léa_jaime@mail.com
Date : Dimanche 2 mars, 11 h 34
Objet : À l'aide !

Ton courriel tombe à pic, parce que j'ai vraiment
besoin de me confier... J'ai passé la nuit à discuter
avec Marilou, mais ça ne m'a pas aidée à y voir plus
clair.

Je suis arrivée ici hier en après-midi, et je me suis tout
de suite rendue chez Marilou pour manger et pour me

préparer pour la fête. Quand nous sommes arrivées chez son chum JP (c'est là qu'avait lieu la fête), il y avait déjà une bonne quinzaine de personnes. C'était cool de revoir tout le monde, mais en même temps, je me sentais un peu bizarre. C'est comme si je n'avais plus tout à fait ma place ici non plus. Quand je suis avec Marilou, tout se passe bien, mais lorsque je suis avec le reste des gens, je me sens un peu comme une étrangère. Je trouve ça un peu déprimant, parce que j'ai l'impression de ne pas avoir ma place ni à Montréal ni ici.

J'ai tout de même fait semblant de m'amuser et de rire des blagues de ses amis pour ne pas gâcher la fête de Marilou.

Le problème, c'est qu'une autre chose me tracassait. Même si au fond, je savais qu'il ne fallait pas revoir Thomas, je pense que j'espérais un peu qu'il soit là, et je me sens vraiment mal pour Éloi. Je ne sais pas si c'est parce que je voulais savoir si je ressentais encore quelque chose pour lui ou parce que je suis masochiste, mais c'est la vérité.

Vers la fin de la soirée, j'ai demandé à Marilou si ça la dérangeait beaucoup que je rentre avant elle puisque j'étais morte de fatigue (ce qui est vrai parce que je m'étais levée à 6 h), mais elle a insisté pour partir en même temps que moi. Nous avons donc salué tout le monde, puis nous avons enfilé nos bottes et nos manteaux.

Quand j'ai ouvert la porte de la maison, je suis tombée nez à nez avec Thomas. Il avait les joues toutes rouges et on dirait que ça faisait des heures qu'il attendait là.

Puis c'est comme si le reste s'était passé au ralenti. J'ai vu ses yeux s'agrandir et j'ai senti mon cœur s'arrêter. Ni lui ni moi n'avons été capables de prononcer un seul mot. Tout ce dont je me souviens, c'est que Marilou m'a pris par le bras et m'a tirée vers la rue pour me sortir de là, mais que je n'étais pas capable de détacher mes yeux des siens. Même en marchant, je continuais de le regarder, et lui restait planté devant la porte en me suivant des yeux.

Quand il est sorti de mon champ de vision, je me suis arrêtée pour reprendre mon souffle et j'ai ressenti une forte nausée. Je me suis penchée et j'ai vomi sans pouvoir m'en empêcher. Marilou tenait mes cheveux, et moi, j'essayais d'évacuer tout ce que je ressentais. Mais c'était trop fort.

Une fois rendue chez Marilou, elle m'a fait prendre un bain chaud et m'a fait boire une tisane bouillante pour me réchauffer, mais ça n'a pas réussi à calmer mon cœur. La vérité, c'est que ce n'est pas une indigestion qui m'a rendue malade et qui m'a empêchée de fermer l'œil cette nuit. C'est lui. C'est Thomas.

À suivre...

ACHEVÉ D'IMPRIMER AU CANADA
PAR MARQUIS GAGNÉ
EN JANVIER 2014